중·고등 영어도 역시 **1위** 해커스다.

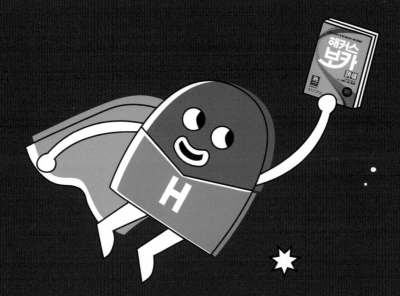

해커스북 ^{중·고등}

해커스 보카

중학 숙어가 특별한 이유!

꼭 알아야 할 **중학 필수 숙어**가 모두 있으니까!

1 교과서와 다양한
영어 시험에서 엄선한
중학 최빈출 숙어

2 내신 대비를 위한
헷갈리는 함정 숙어
& 서술형 만점 표현

숙어 하나를 외워도 **전략적**으로 외우니까!

3 어렵고 생소한 숙어도
쉽게 외울 수 있는
자동 암기법

4 효과적인 복습을 위한
숙어 암기가 쉬워지는
핵심 전치사 · 부사
& 미니 암기장

해커스 어학연구소 자문위원단 2기

강원
안서아 숲어학원 남산캠퍼스
최현주 최영어

경기
강민정 김진성의 열정어학원
강상훈 평촌RTS학원
강유빈 일링영어수학학원
권계미 A&T+ 영어
김남균 SDH어학원 세교캠퍼스
김보경 성일고등학교
김세희 이화킴스영어전문학원
김은영 신갈고등학교
나한샘 해법영어교실 프라임수학학원
두형호 잉글리쉬피티 어학원
박은성 GSE 어학원
박지승 신갈고등학교
배동영 이바인어학원탄현캠퍼스
서현주 웰어학원
연원기 신갈고등학교
윤혜영 이루다학원
이미연 김상희수학영어학원
이선미 정현영어학원
이슬기 연세센크레영어
이승주 EL영어학원
이주의 뉴욕학원
이충기 영어나무
이한이 엘케이영어학원
장명희 이루다영어수학전문학원
장소연 우리학원
장한상 티엔디플러스학원
전상호 평촌 이지어학원
전성훈 훈선생영어학원
정선영 코어플러스영어학원
정세창 팍스어학원
정재식 마스터제이학원
정필두 정상어학원
조원웅 클라비스영어전문학원
조은혜 이든영수학원
천은지 프링크어학원
최지영 다른영어학원
최한나 석사영수전문

경남
김선우 호이겐스학원
라승희 아이작잉글리쉬
박정주 타임영어 전문학원
이지선 PMS영재센터학원

경북
김대원 포항영신중학교
김주훈 아너스영어
문재원 포항영신고등학교
성룡 미르어학원
엄경식 포항영신고등학교
정창용 엑소더스어학원

광주
강창일 MAX(맥스) 에듀학원
김태호 금호고등학교
임희숙 설월여자고등학교
정영철 정영철 영어전문학원
조유승 링즈영어학원

대구
구수진 석샘수학&제임스영어 학원
권익재 제이슨영어교습소
김광영 e끌리네영어학원
김보곤 베스트영어
김연정 달서고등학교
김원휘 글로벌리더스어학원
위영선 위영선어학원
이가영 어썸코칭영어학원
이승현 학문당입시학원
이정아 능인고등학교
조승희 켈리외국어학원
주현아 강고영어학원
최윤정 최강영어
황은진 상인황샘영어학원

대전
김미경 이보영의토킹클럽유성분원
성태미 한울영수학원
신주희 파써블영어학원
이재근 이재근영어수학학원
이혜숙 대동천재학원
최애림 ECC송촌제우스학원

부산
고영하 해리포터영어도서관
김미혜 더멘토어학원
김서진 케이트예일학원
김소희 윤선생IGSE 센텀어학원
박경일 제니스영어
성현석 닉쌤영어교습소
신연주 도담학원
이경희 더에듀기장학원
이아린 명진학원
이종혁 대동학원
이지현 7번방의 기적 영어학원
전재석 영어를담다
채지영 리드앤톡톡영어도서관학원

서울
갈성은 씨앤씨(목동) 특목관
공현미 이은재어학원
김시아 시아영어교습소
김은주 열정과녁념영어학원
박병배 강북세일학원
신이중 정영어학원
신진희 신진희영어
양세희 양세희수능영어학원
윤승완 윤승완영어학원
이계윤 씨앤씨(목동) 학원
이상영 와이즈(WHY's) 학원
이정욱 이은재어학원
이지연 중계케이트영어학원
정미라 미라정영어학원
정용문 맥코칭학원
정윤정 대치명인학원 마포캠퍼스
조용현 바른스터디학원
채가희 대성세그루영수학원

세종
김주년 드림하이영어학원
하원태 백년대계입시학원
홍수정 수정영어입시전문학원

울산
김한중 스마트영어전문학원
오충섭 인트로영어전문학원
윤창호 로메타스톤어학원
임예린 와엘영어학원
최주하 더 셀럽학원
최호선 마시멜로영어전문학원

인천
권효진 Genie's English
송숙진 예스영어학원
임민선 SNU에듀
정진수 원리영어
함শ임 리본에듀학원
황혜림 SNU에듀

전남
김두환 해남맨체스터영수학원
류성준 타임영어학원

전북
강동현 커넥트영수전문학원
김길자 군산맨투맨학원
김유경 이열 어학원
노빈나 노빈나영어학원
라성남 하포드어학원
박지연 박지연영어학원
변진호 쉐마영어학원
송윤경 줄리안나영어국어전문학원
이수정 씨에이엔영어학원
장윤정 혁신뉴욕어학원
장지원 링컨더글라스학원
최혜영 이든영어수학학원

제주
김랑 KLS어학원
박자은 KLS어학원

충남
문정효 좋은습관 에토스학원
박서현 EiE고려대학교 어학원 논산
박정은 탑씨크리트학원
성승민 SDH어학원 불당캠퍼스
손세윤 최상위학원 (탕정)
이지선 힐베르트학원

충북
강은구 강쌤영어학원
남장길 에이탑정철어학원
이혜인 위즈영어학원

중학 서술형이 쉬워지는 필수 숙어 총정리

해커스 보카

중학 숙어

해커스 어학연구소

목차

이 책의 구성과 특징

❶ 40일 만에 800숙어 완성

1DAY에 20개의 표제어를 학습해서, 중학교 1~3학년 필수 숙어 800개를 40일 만에 완성할 수 있어요.

❷ 음성

모든 표제어, 표제어 뜻, 예문에 대한 음성을 QR코드로 쉽게 들을 수 있어요.

❸ 표제어

중학교 1~3학년 교과서 13종, 중학 듣기평가, 중3 성취도평가, 고1 학력 평가 분석을 통해 엄선한 최빈출 숙어 800개를 학습할 수 있어요.

❹ 암기법

숙어를 구성하는 모든 단어의 의미를 설명하는 암기법을 제공하여, 어려운 숙어도 쉽게 이해하며 암기할 수 있어요.

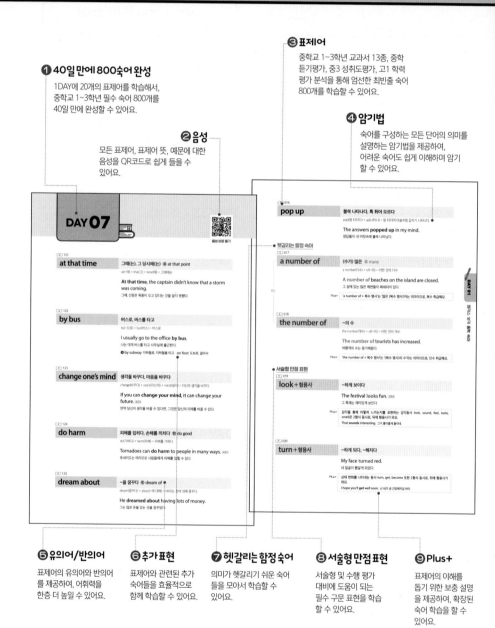

DAY 07

음성 바로 듣기

□□ 121
at that time 　그때(는), 그 당시에(는) ㉒ at that point
at~에) + that(그) + time(때) → 그때에는

At that time, the captain didn't know that a storm was coming.
그때, 선장은 폭풍이 오고 있다는 것을 알지 못했다.

□□ 122
by bus 　버스로, 버스를 타고
by(~으로) + bus(버스) → 버스로

I usually go to the office by bus.
나는 대체 버스를 타고 사무실에 출근한다.
● by subway 지하철로, 지하철을 타고　on foot 도보로, 걸어서

□□ 123
change one's mind 　생각을 바꾸다, 마음을 바꾸다
change(바꾸다) + one's(자신의) + mind(생각) → 자신의 생각을 바꾸다

If you can change your mind, it can change your future. 고난도
만약 당신이 생각을 바꿀 수 있다면, 그것은 당신의 미래를 바꿀 수 있다

□□ 124
do harm 　피해를 입히다, 손해를 끼치다 ㉑ do good
do(가하다) + harm(피해) → 피해를 가하다

Tornadoes can do harm to people in many ways. 고난도
토네이도는 여러모로 사람들에게 피해를 입힐 수 있다.

□□ 125
dream about 　~을 꿈꾸다 ㉒ dream of
dream(꿈꾸다) + about(~에 대해) → 네(것)는 것에 대해 꿈꾸다

He dreamed about having lots of money.
그는 많은 돈을 갖는 것을 꿈꾸었다.

□□ 016
pop up 　불쑥 나타나다, 툭 튀어 오르다
pop(팍 터지다) + up(&위로) → 툭 터지듯 위로 솟으며 갑자기 나타나다

The answers popped up in my mind.
정답들이 내 머릿속에 불쑥 나타났다.

● 헷갈리는 함정 숙어

□□ 017
a number of 　(수가) 많은 ㉒ many
a number(다수) + of(~의) → 어떤 것의 다수

A number of beaches on the island are closed.
그 섬에 있는 많은 해변들이 폐쇄되어 있다.
Plus+ 'a number of + 복수 명사'는 '많은' (복수 명사)라는 의미이므로, 복수 취급해요.

vs

□□ 018
the number of 　~의 수
the number(개수) + of(~의) → 어떤 것의 개수

The number of tourists has increased.
여행객의 수는 증가했다.
Plus+ 'the number of + 복수 명사'는 '(복수 명사)의 수'라는 의미이므로, 단수 취급해요.

● 서술형 만점 표현

□□ 019
look + 형용사 　~하게 보이다 고난도

The festival looks fun. 고난도
그 축제는 재미있게 보인다.
Plus+ 감각을 통해 무엇이 어떻게 느끼는지를 표현하는 감각동사 look, sound, feel, taste, smell은 2형식 동사로, 뒤에 형용사가 와요.
That sounds interesting. 그거 흥미롭게 들려.

□□ 020
turn + 형용사 　~하게 되다, ~해지다

My face turned red.
내 얼굴이 빨갛게 되었다.
Plus+ 상태 변화를 나타내는 동사 turn, get, become의 뒤에 2형식 동사로, 위에 형용사가 와요.
I hope you'll get well soon. 난 네가 곧 건강해지길 바라.

DAY 01 | 하커스 보카 중학 숙어

---

❺ 유의어/반의어

표제어의 유의어와 반의어를 제공하여, 어휘력을 한층 더 높일 수 있어요.

❻ 추가 표현

표제어와 관련된 추가 숙어들을 효율적으로 함께 학습할 수 있어요.

❼ 헷갈리는 함정 숙어

의미가 헷갈리기 쉬운 숙어들을 모아서 학습할 수 있어요.

❽ 서술형 만점 표현

서술형 및 수행 평가 대비에 도움이 되는 필수 구문 표현을 학습할 수 있어요.

❾ Plus+

표제어의 이해를 돕기 위한 보충 설명을 제공하여, 확장된 숙어 학습을 할 수 있어요.

---

* 교재에 사용된 약호

㉒ 유의어　㉑ 반의어　● 추가 표현　( ) 생략 가능 어구　[ ] 대체 가능 어구　/ 공동 적용 어구

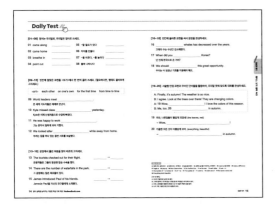

Daily Test

내신 및 서술형 평가 유형을 반영한 Daily Test 를 통해, 숙어 실력 향상은 물론 실전 감각을 키울 수 있어요.

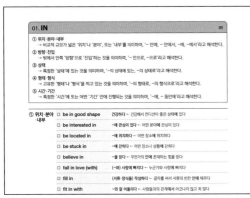

숙어 암기가 쉬워지는 핵심 전치사·부사

각각의 숙어에서 핵심이 되는 전치사와 부사의 기본 뜻을 통해, 표제어를 새로운 시각에서 복습 하고 더욱 효과적으로 기억할 수 있어요.

➕ 추가 학습 자료로 어휘 실력 업그레이드!

미니 암기장

미니 암기장을 가지고 언제 어디서나 간편하게 숙어를 학습할 수 있어요.

단어가리개

단어가리개를 이용한 셀프테스트로 숙어의 암기 여부를 쉽고 빠르게 확인할 수 있어요.

성향별 맞춤 학습방법

"난 꼼꼼하게 전부 다 외울 거야!"

1회독

매일 목표를 정해서 해당 범위의 숙어와 뜻을 외워보세요. 뜻을 외운 뒤에는 예문 안에서 숙어의 쓰임을 확인하며, 유의어, 반의어와 추가 표현도 함께 학습하세요. 학습한 후에는 Daily Test로 외운 내용을 꼼꼼히 점검하고, 틀린 숙어는 단어 위의 체크박스에 표시해두세요.

2회독

체크박스에 표시된 숙어들을 중심으로 복습하세요. 잘 이해되지 않는 숙어들은 암기법을 참고하여 한번 더 정리하고, 해커스북 사이트(HackersBook.com)의 다양한 학습 자료도 함께 활용해보세요.

"난 짧은 시간만 집중해서 외울 거야!"

1회독

별책으로 제공되는 미니 암기장을 들고 다니며 이동하는 시간, 남는 시간을 활용해 숙어를 암기해보세요. 암기가 끝나면 Daily Test로 외운 내용을 점검하고, 헷갈리거나 틀린 숙어들은 잘 표시해두세요.

2회독

헷갈리거나 틀렸던 숙어들을 중심으로 예문, 유의어, 반의어와 추가 표현을 찾아보며 복습하세요. 쉽게 이해되지 않는 숙어들은 암기법을 참고하여 한번 더 정리하고, 해커스북 사이트(HackersBook.com)의 다양한 학습 자료도 함께 활용해보세요.

"난 다양한 감각을 활용해서 외울 거야!"

1회독

QR코드를 스캔하여 학습할 범위의 '표제어' 음성을 재생한 후, 각 숙어의 발음을 들으며 암기해보세요. 그 후 '표제어와 뜻' 음성을 재생하여 내가 숙어를 잘 외웠는지 바로 확인하세요. 암기가 끝나면 유의어, 반의어와 추가 표현을 읽어보며, 한번 더 확장적으로 학습하세요.

2회독

'표제어와 뜻과 예문' 음성을 들으며 예문에 쓰인 숙어 뜻을 확인해보고, 해커스북 사이트(HackersBook.com)의 예문 영작 테스트를 프린트해서 빈칸을 채워보세요. Daily Test를 풀어보며 내가 잘 외웠는지 최종적으로 확인하세요!

"난 과학적으로 검증된 방법으로 외울 거야!"

숙어를 잊어버리는 주기에 맞춰 학습해보세요.

1회독

학습 시작일에는 표제어와 뜻을 중심으로 암기하고, Daily Test로 외운 숙어를 간단히 점검하세요.

2회독

일주일 후, 단어가리개로 뜻을 가리고 외운 숙어들을 얼마나 기억하는지 확인해보세요. 헷갈리거나 틀린 숙어들은 예문, 유의어, 반의어를 확인하며 복습하세요.

복습

한 달 후, 해커스북 사이트(HackersBook.com)의 누적 테스트를 프린트해서 학습한 숙어들을 잘 기억하는지 점검하세요. 필요하다면 다른 학습 자료도 추가로 활용하세요.

▶ 각 Day를 학습한 날짜를 기록해보세요. 📖✏️

	1회독 ✏️	2회독 ✏️✏️
DAY 01	월/일	월/일
DAY 02	/	/
DAY 03	/	/
DAY 04	/	/
DAY 05	/	/
DAY 06	/	/
DAY 07	/	/
DAY 08	/	/
DAY 09	/	/
DAY 10	/	/
DAY 11	/	/
DAY 12	/	/
DAY 13	/	/
DAY 14	/	/
DAY 15	/	/
DAY 16	/	/
DAY 17	/	/
DAY 18	/	/
DAY 19	/	/
DAY 20	/	/

	1회독 ✏️	2회독 ✏️✏️
DAY 21	/	/
DAY 22	/	/
DAY 23	/	/
DAY 24	/	/
DAY 25	/	/
DAY 26	/	/
DAY 27	/	/
DAY 28	/	/
DAY 29	/	/
DAY 30	/	/
DAY 31	/	/
DAY 32	/	/
DAY 33	/	/
DAY 34	/	/
DAY 35	/	/
DAY 36	/	/
DAY 37	/	/
DAY 38	/	/
DAY 39	/	/
DAY 40	/	/

해커스북 ^{중·고등}

www.HackersBook.com

DAY 01 – DAY 40

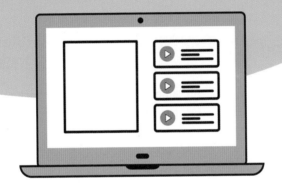

DAY 01

음성 바로 듣기

□□ 001
breathe in
숨을 들이쉬다 🔁 breathe out

breathe(숨 쉬다) + in(~ 안으로) = 숨을 안으로 들이쉬다

The doctor told the patient to breathe in deeply.
의사는 그 환자에게 깊이 숨을 들이쉬라고 말했다.

□□ 002
check in
(호텔) 숙박 수속을 하다, (공항) 탑승 수속을 하다 🔁 check out

check(확인하다) + in(~ 안으로) = 신원을 확인해 호텔이나 탑승구 안으로 들어가다

We first checked in at a hotel in Singapore. 교과서
우리는 먼저 싱가포르에 있는 한 호텔에서 숙박 수속을 했다.

□□ 003
come along
함께 가다, 함께 오다

come(오다) + along(따라서) = 누군가를 따라서 함께 가거나 오다

Ari came along with me to my doctor's appointment.
Ari는 나의 병원 예약에 나와 함께 갔다.

□□ 004
come home
집에 오다, 귀가하다

come(오다) + home(집에) = 집에 오다

He promised to come home earlier and eat with me. 교과서
그는 더 일찍 집에 와서 나와 함께 밥을 먹기로 약속했다.

□□ 005
come to
~로 오다

come(오다) + to(~으로) = 어떤 장소로 오다

If you want to join us, come to Sumi's house.
우리와 함께하고 싶다면, 수미네 집으로 와.

Plus+ | come 뒤에 전치사 to가 아니라 'to+동사원형(~하는 것)'이 오면 '~하게 되다'라는 의미를 가져요.
How did you come to meet him? 어떻게 그를 만나게 되었니?

☐☐ 006
each other

(대개 두 명이) 서로

each(각자의) + other(다른 한쪽) = 두 명이 각자의 다른 한쪽에게 서로

Timmy and I think differently, but we like **each other.** 교과서

Timmy와 나는 다르게 생각하지만, 우리는 서로를 좋아한다.

➊ one another (세 명 이상이) 서로

☐☐ 007
for the first time

(난생) 처음으로

for(~에) + the first(맨 처음) + time(때) = 태어나서 맨 처음 때에

I visited Hungary **for the first time.** 교과서

나는 처음으로 헝가리를 방문했다.

☐☐ 008
from time to time

이따금, 때때로 유 at times

from(~부터) + time(시간) + to(~까지) + time(시간) = 시간부터 시간까지 간격을 두고

The fish came up to the surface **from time to time.** 교과서

그 물고기는 이따금 수면 위로 올라왔다.

☐☐ 009
introduce A to B

A를 B에게 소개하다

introduce(~를 소개하다) + A + to(~에게) + B = A를 B에게 소개하다

Let me **introduce** myself **to** you. I'm Kim Minjae.

제 자신을 당신께 소개하겠습니다. 저는 김민재입니다.

☐☐ 010
laugh at

~을 비웃다, ~를 놀리다 유 make fun of

laugh(웃다) + at(~에 대해) = 어떤 대상에 대해 마구 웃으며 놀리다

Some people **laughed at** our idea. 교과서

몇몇 사람들은 우리의 아이디어를 비웃었다.

□□ 011

make a difference

변화를 가져오다, 차이를 만들다

make(만들다) + a difference(차이) = 차이를 만들어 변화를 가져오다

Our efforts can **make a difference** in people's lives. (교과서)

우리의 노력은 사람들의 삶에 변화를 가져올 수 있다.

➕ make a big difference 큰 차이를 만들다

□□ 012

make use of

~을 이용하다, ~을 쓰다

make(만들다) + use(이용) + of(~에 대해) = 무언가에 대해 이용을 만들어 내다

Make use of these tips to keep your skin healthy.

당신의 피부를 건강하게 유지하기 위해 이 비법들을 이용하세요.

➕ make good use of ~을 유용하게 쓰다

□□ 013

need to + 동사원형

~할 필요가 있다, ~해야 한다

need(필요하다) + to+동사원형(~하는 것) = ~하는 것이 필요하다

We **need to** take a break for a while. (교과서)

우리는 잠시 동안 휴식을 취할 필요가 있다.

□□ 014

on one's own

혼자서, 단독으로

on(~으로) + one's own(자신의 것) = 타인의 도움 없이 자신이 가진 것으로

I am shy, so I work best **on my own**. (교과서)

나는 수줍음을 많이 타서, 혼자서 일을 가장 잘한다.

□□ 015

point out

(문제·실수를) 지적하다, 가리키다

point(콕 집다) + out(밖으로) = 문제나 실수를 콕 집어 밖으로 드러내다

Taeri **points out** that we are wasting electricity. (교과서)

태리는 우리가 전기를 낭비하고 있다고 지적한다.

□□ 016

pop up

불쑥 나타나다, 톡 튀어 오르다

pop(펑 터지다) + up(나타나) = 펑 터지며 마술처럼 갑자기 나타나다

The answers popped up in my mind.

정답들이 내 머릿속에 불쑥 나타났다.

헷갈리는 함정 숙어

□□ 017

a number of

(수가) 많은 ⊛ many

a number(다수) + of(~의) = 어떤 것의 다수

A number of beaches on the island are closed.

그 섬에 있는 많은 해변들이 폐쇄되어 있다.

Plus+ | 'a number of + 복수 명사'는 '많은 (복수 명사)'라는 의미이므로, 복수 취급해요.

VS

□□ 018

the number of

~의 수

the number(개수) + of(~의) = 어떤 것의 개수

The number of tourists has increased.

여행객의 수는 증가해왔다.

Plus+ | 'the number of + 복수 명사'는 '(복수 명사)의 수'라는 의미이므로, 단수 취급해요.

서술형 만점 표현

□□ 019

look + 형용사

~하게 보이다

The festival looks fun. 교과서

그 축제는 재미있게 보인다.

Plus+ | 감각을 통해 어떻게 느끼는지를 표현하는 감각동사 look, sound, feel, taste, smell은 2형식 동사로, 뒤에 형용사가 와요.
That sounds interesting. 그거 흥미롭게 들리네.

□□ 020

turn + 형용사

~하게 되다, ~해지다

My face turned red.

내 얼굴이 빨갛게 되었다.

Plus+ | 상태 변화를 나타내는 동사 turn, get, become 또한 2형식 동사로, 뒤에 형용사가 와요.
I hope you'll get well soon. 난 네가 곧 건강해지길 바라.

Daily Test

[01~08] 영어는 우리말로, 우리말은 영어로 쓰세요.

01 come along _____

02 come home _____

03 breathe in _____

04 point out _____

05 ~할 필요가 있다 _____

06 차이를 만들다 _____

07 ~을 비웃다, ~를 놀리다 _____

08 불쑥 나타나다 _____

[09~12] 빈칸에 알맞은 표현을 <보기>에서 한 번씩 골라 쓰세요. (필요하다면, 형태도 올바르게 고치세요.)

| <보기> | each other | on one's own | for the first time | from time to time |

09 World leaders meet _____.
   전 세계 지도자들은 때때로 만난다.

10 Kyle missed class _____ yesterday.
   Kyle은 어제 난생처음으로 수업에 빠졌다.

11 He was happy to work _____.
   그는 혼자서 일하게 되어 기뻤다.

12 We looked after _____ while away from home.
   우리는 집을 떠나 있는 동안 서로를 보살폈다.

[13~15] 문장에서 틀린 부분을 찾아 바르게 고치세요.

13 The tourists checked out for their flight.   _____ → _____
   관광객들은 그들의 항공편 탑승 수속을 했다.

14 There are the number of waterfalls in the park.   _____ → _____
   그 공원에는 많은 폭포들이 있다.

15 James introduced Paul of his friends.   _____ → _____
   James는 Paul을 자신의 친구들에게 소개했다.

[16~18] 빈칸에 올바른 표현을 써서 문장을 완성하세요.

16 _____ whales has decreased over the years.

고래의 수는 수년간 감소해왔다.

17 When did you _____ Korea?

넌 언제 한국으로 온 거야?

18 We should _____ this great opportunity.

우리는 이 엄청난 기회를 이용해야 해요.

[19~20] 서술형 만점 표현과 주어진 단어들을 활용하여, 우리말 뜻에 맞도록 대화를 완성하세요.

> A: Finally, it's autumn! The weather is so nice.
>
> B: I agree. Look at the trees over there! They are changing colors.
>
> A: **19** Wow, _____! I love the colors of this season.
>
> B: Me, too. **20** _____ in autumn.

19 우와, 나뭇잎들이 빨갛게 되었네! (the leaves, red)

→ Wow, _____!

20 가을엔 모든 것이 아름답게 보여. (everything, beautiful)

→ _____ in autumn.

DAY 02

음성 바로 듣기

☐☐ 021

a cup of

(~의) 한 잔, (~의) 한 컵

a cup(한 잔) + of(~의) = 마실 것의 한 잔

I'll have a cookie and a cup of coffee.
저는 쿠키 한 개와 커피 한 잔을 먹을 거예요.

☐☐ 022

at times

가끔씩, 때로는 ⊕ from time to time

at(~에) + times(몇 번) = 가끔씩 몇 번에

I just need space from other people at times.
저는 그저 가끔씩 다른 사람들로부터 거리가 필요해요.

☐☐ 023

catch one's eye

~의 눈길을 사로잡다

catch(잡다) + one's(누군가의) + eye(눈) = 누군가의 눈을 사로잡다

While shopping, a beautiful dress caught her eye.
쇼핑하는 동안, 아름다운 드레스 한 벌이 그녀의 눈길을 사로잡았다.

➕ catch one's interest ~의 흥미를 사로잡다

☐☐ 024

come for

~을 하러 오다

come(오다) + for(~을 위해) = 특정한 목적을 위해 오다

Would you like to come for lunch?
점심을 드시러 오시겠어요?

☐☐ 025

compare A with B

A를 B와 비교하다

compare(~을 비교하다) + A + with(~와) + B = A를 B와 비교하다

The family compared their old house with the new house.
그 가족은 그들의 예전 집을 새집과 비교했다.

□□ 026
complain about

~에 대해 불평하다, ~에 항의하다 ⓨ complain of

complain(불평하다) + about(~에 대해) = 어떤 문제에 대해 불평하다

We heard that you had complained about our service.
저희는 귀하께서 저희의 서비스에 대해 불평하셨다고 들었습니다.

□□ 027
first of all

우선, 무엇보다도 ⓨ above all, most of all, best of all

first(첫 번째) + of(~ 중에) + all(모든 것) = 모든 것 중에 첫 번째로

First of all, can you tell us about your hobbies? 교과서
우선, 저희에게 당신의 취미들에 대해 말씀해주실 수 있나요?

□□ 028
get on

(탈 것에) 탑승하다 ⓑ get off

get(~에 이르다) + on(~ 위에) = 발이 탈 것 위에 이르다

Anyone can get on this train easily. 교과서
누구나 이 열차에 쉽게 탑승할 수 있다.

Plus+ | 보통 버스나 기차와 같이, 많은 사람이 함께 타는 '큰 교통수단'에는 get on(타다)과 get off(내리다)를 쓰고, 자동차나 택시와 같이, 머리를 숙여 안으로 탑승해야 하는 '작은 교통수단'에는 get in(타다)과 get out(내리다)을 써요.

□□ 029
in trouble

곤경에 처한, 난처한

in(~의 상태에 있는) + trouble(곤경) = 곤경의 상태에 있는

When seahorses are in trouble, they change color. 교과서
해마들은 곤경에 처할 때, 색을 바꾼다.

□□ 030
line up

(일렬로) 줄을 서다

line(한 줄로 서다) + up(완전히) = 사람들이 완전히 한 줄로 서다

The class lined up in the playground. 교과서
그 학급은 놀이터에 일렬로 줄을 섰다.

□□ 031
make a call

전화를 걸다 ⊕ make a phone call

make(만들다) + a call(통화) = 전화를 걸어 통화를 만들다

Yejin **made a call** to her friend Jinwoo.
예진이는 자신의 친구인 진우에게 전화를 걸었다.

□□ 032
make (a) noise

시끄럽게 하다, 소란을 피우다

make(만들다) + a noise(소음) = 시끄러운 소음을 만들어 내다

The polite visitor did not **make noise**.
그 공손한 방문객은 시끄럽게 하지 않았다.

□□ 033
make fun of

~를 놀리다, ~을 비웃다 ⊕ laugh at

make(만들다) + fun(웃음거리) + of(~를) = 누군가를 웃음거리로 만들다

Some people **make fun of** me when I speak English.
몇몇 사람들은 내가 영어를 말할 때 나를 놀린다.

□□ 034
on the other hand

반면에, 다른 한편으로는

on(~ 위에) + the other(반대쪽의) + hand(손) = 이쪽 손과 달리 반대쪽 손 위에는

My mother is Korean. **On the other hand**, my father is French.
나의 어머니는 한국인이시다. 반면에, 나의 아버지는 프랑스인이시다.

□□ 035
pay off

성과가 나다, 성공하다

pay(보답하다) + off(완전히) = 과거의 노력이 성과나 성공으로 완전히 보답하다

Your hard work will **pay off** later. 교과서
당신의 노력은 나중에 성과가 날 것입니다.

□□ 036
prepare for

~에 대비하다, ~을 준비하다 ⊕ get ready for

prepare(준비를 갖추다) + for(~에 대해) = 무언가에 대해 준비를 갖추다

We should **prepare for** the future. 교과서
우리는 미래에 대비해야 한다.

헷갈리는 함정 숙어

□□ 037

by oneself

혼자서, 단독으로

by(~에 의해) + oneself(자기 자신) = 다른 사람 없이 자기 자신 혼자에 의해

I decided to take a trip **by myself.** ^{교과서}

나는 혼자서 여행을 하기로 결심했다.

vs

□□ 038

for oneself

혼자 힘으로, 스스로, 직접

for(~으로) + oneself(자기 자신) = 자기 자신이 가진 힘만으로

I started to make money **for myself.** ^{교과서}

나는 혼자 힘으로 돈을 벌기 시작했다.

서술형 만점 표현

□□ 039

give A B

A에게 B를 주다 (= give B to A)

Original thinking can **give** you great answers. ^{교과서}

독창적인 생각은 당신에게 훌륭한 답을 줄 수 있다.

➕ send A B A에게 B를 보내주다   bring A B A에게 B를 가져다주다
tell A B A에게 B를 말해주다

Plus+ | 4형식 문장 'give + A(사람 목적어) + B(사물 목적어)'는 3형식 문장 'give + B(사물 목적어) + to + A(사람 목적어)'로 바꾸어 쓸 수 있어요.
Original thinking can **give** great answers **to** you.
독창적인 생각은 당신에게 훌륭한 답을 줄 수 있다.

□□ 040

make A B

A에게 B를 만들어 주다 (= make B for A)

My mother **made** me a bowl of tomato soup. ^{교과서}

어머니는 나에게 토마토수프 한 그릇을 만들어 주셨다.

➕ buy A B A에게 B를 사 주다   cook A B A에게 B를 요리해 주다

Plus+ | 4형식 문장 'make + A(사람 목적어) + B(사물 목적어)'는 3형식 문장 'make + B(사물 목적어) + for + A(사람 목적어)'로 바꾸어 쓸 수 있어요.
My mother **made** a bowl of tomato soup **for** me.
어머니는 나에게 토마토수프 한 그릇을 만들어 주셨다.

Daily Test

[01~08] 영어는 우리말로, 우리말은 영어로 쓰세요.

01 a cup of _____

02 in trouble _____

03 first of all _____

04 make a call _____

05 ~에 대해 불평하다 _____

06 소란을 피우다 _____

07 혼자 힘으로, 스스로 _____

08 반면에 _____

[09~12] 빈칸에 알맞은 표현을 <보기>에서 한 번씩 골라 쓰세요. (필요하다면, 형태도 올바르게 고치세요.)

<보기>	get on	come for	pay off	line up

09 The doctor told the patient to _____ a test.
의사는 그 환자에게 검사를 하러 오라고 말했다.

10 _____ this train to get to Daejeon.
대전에 가려면 이 열차에 탑승하세요.

11 Fans _____ to buy tickets.
팬들은 티켓을 사기 위해 줄을 섰다.

12 Studying usually _____ later.
공부하는 것은 보통 나중에 성과가 난다.

[13~15] 문장에서 틀린 부분을 찾아 바르게 고치세요.

13 She wanted to work on the project with herself. _____ → _____
그녀는 혼자서 프로젝트를 진행하고 싶어 했다.

14 They compared the movie for its original. _____ → _____
그들은 그 영화를 그것의 원작과 비교했다.

15 The government prepared of an election. _____ → _____
정부는 선거를 준비했다.

[16~18] 빈칸에 올바른 표현을 써서 문장을 완성하세요.

16 _____, he likes to travel alone.

가끔씩, 그는 혼자 여행하는 것을 좋아한다.

17 They _____ the boy for his clown costume.

그들은 그 남자아이의 광대 의상을 가지고 그를 놀렸다.

18 The beautiful painting in the museum _____.

그 박물관에 있는 아름다운 그림은 그녀의 눈길을 사로잡았다.

해커스 보카 중학 숙어

[19~20] 서술형 만점 표현을 활용하여, 주어진 문장과 같은 의미가 되도록 빈칸을 완성하세요.

19 My friend made me some cookies.

→ My friend _____ _____ _____ _____ _____.

20 I will give Bomi a birthday present.

→ I will give _____ _____ _____ _____ _____.

01 (~의) 한 잔, (~의) 한 컵   02 곤경에 처한, 난처한   03 우선, 무엇보다도   04 전화를 걸다   05 complain about   06 make (a) noise   07 for oneself
08 on the other hand   09 come for   10 Get on   11 lined up   12 pays off   13 for → by   14 for → with   15 of → for   16 At times
17 made fun of   18 caught her eye   19 made some cookies for me   20 a birthday present to Bomi

[19~20 해석]
19 내 친구가 나에게 쿠키 몇 개를 만들어 주었다.
20 나는 보미에게 생일 선물을 줄 것이다.

DAY 03

음성 바로 듣기

□□ 041
a lot of

많은 ㉵ lots of

a lot(많은 양) + of(~의) = 어떤 것의 많은 수나 많은 양

There are **a lot of** people in the coffee shop. 교과서
그 커피숍에는 많은 사람들이 있다.

□□ 042
cannot help -ing

~하지 않을 수 없다, ~할 수밖에 없다

cannot help(어쩔 수 없다) + -ing(~하는 것) = 어쩔 수 없이 ~하는 것을 해야 한다

She looked so sad that I **couldn't help** talk**ing** to her.
그녀가 너무 슬퍼 보여서 나는 그녀에게 말을 걸지 않을 수 없었다.

➊ cannot (help) but + 동사원형 ~하지 않을 수 없다
   have no choice but to + 동사원형 ~할 수밖에 없다

Plus+ 동사 help는 cannot[can't]과 함께 쓰이면 '참다, 억제하다'라는 뜻을 가질 수 있으므로, cannot[can't] help는 '억제할 수 없다', 즉 '어쩔 수 없다'로 해석할 수 있어요.

□□ 043
come down

내려오다, 내리다

come(오다) + down(아래로) = 아래로 내려오다

The monkey **came down** from the tree.
원숭이는 그 나무에서 내려왔다.

□□ 044
concentrate on

~에 집중하다, ~에 여념이 없다 ㉵ focus on

concentrate(집중하다) + on(~에) = 무언가에 집중하다

Without music, she can't **concentrate on** studying.
음악이 없으면, 그녀는 공부에 집중하지 못한다.

□□ 045
consist of

~으로 이루어지다

consist(이루어지다) + of(~으로) = 세부 구성 요소들로 이루어지다

The native people of Nauru **consist of** 12 tribes. 교과서
나우루의 원주민은 12개의 부족으로 이루어져 있다.

046

fill in

(서류·양식을) 작성하다, (빈칸에) 기입하다 ⊛ fill out

fill(채우다) + in(~ 안에) = 글자를 써서 서류의 빈칸 안에 채우다

Customers **fill in** an order form with their credit card information.
고객들은 그들의 신용 카드 정보로 주문서를 작성한다.

047

get over

~을 이겨내다, ~을 극복하다

get(~에 이르다) + over(너머에) = 힘든 상황을 이겨내고 그 너머에 이르다

It took him a while to **get over** the virus.
그가 그 바이러스를 이겨내는 데는 시간이 좀 걸렸다.

048

get rid of

~을 없애다, ~을 제거하다

get(~하게 되다) + rid(없애다) + of(~을) = 무언가를 없애게 되다

This herbal tea will **get rid of** your cold.
이 허브차가 당신의 감기를 없애줄 거예요.

049

in the middle of

1. ~ (도)중에

in(~에) + the middle(중간) + of(~의) = 진행되는 기간의 중간에

The mother eagle lays eggs **in the middle of** winter.
어미 독수리는 겨울 중에 알을 낳는다.

2. ~의 한가운데에서, ~의 중앙에서

in(~에서) + the middle(가운데) + of(~의) = 어떤 장소의 가운데에서

I met a princess **in the middle of** the forest. (교과서)
나는 그 숲의 한가운데에서 공주를 만났다.

050

look around

~을 둘러보다, ~을 돌아다니다

look(보다) + around(주위에) = 주위에 있는 것을 둘러보다

I'd like to **look around** the gardens today.
저는 오늘 정원들을 둘러보고 싶어요.

look forward to

~을 기대하다, ~을 기다리다

look(보다) + forward(앞으로) + to(~을 향해) = 앞으로 다가올 일을 향해 바라보다

I'm **looking forward to** your basketball game.
난 너의 농구 경기를 기대하고 있어.

Plus+ | look forward to 뒤에는 '명사' 외에도 '동명사(-ing)'를 써서, '~하는 것을 기대하다'
라는 의미를 나타낼 수 있어요.
We **look forward to** seeing you again. 저희는 당신을 다시 뵙기를 기대해요.

□□ 052

major in

~을 전공하다

major(전공하다) + in(~에서) = 특정 과목에서 전공하다

He wants to **major in** history at university.
그는 대학에서 역사를 전공하고 싶어 한다.

□□ 053

make a promise

약속하다 ⑩ break a promise

make(만들다) + a promise(약속) = 약속을 만들다

The boy **made a promise** not to make a noise.
그 남자아이는 소란을 피우지 않기로 약속했다.

➕ keep a promise 약속을 지키다

□□ 054

on time

제시간에, 정각에

on(~에) + time(시간) = 정해진 시간에

Make sure everything is completed **on time**. 교과서
모든 것이 제시간에 확실히 완료되도록 하세요.

□□ 055

pass out

1. 기절하다, 의식을 잃다

pass(넘어가다) + out(떨어진) = 정신력이 떨어져 의식을 잃고 뒤로 넘어가다

She **passed out** when she heard the news.
그녀는 그 소식을 들었을 때 기절했다.

2. 나누어 주다, 분배하다 ⑩ give out, hand out

pass(건네다) + out(밖으로) = 자신의 손안에 있는 것을 밖으로 건네주다

The teacher **passed out** goodbye gifts to her students.
그 선생님은 자신의 학생들에게 작별 선물을 나누어 주었다.

☐☐ 056

prevent A from -ing

A가 ~하는 것을 막다 ㈜ stop A from -ing

prevent(~을 막다) + A + from(~으로부터) + -ing(~하는 것) = A를 ~하는 것으로부터 막다

The material **prevents** heat **from** gett**ing** out. 교과서
그 소재는 열기가 밖으로 빠져나가는 것을 막는다.

헷갈리는 함정 숙어

☐☐ 057

be used to + 동사원형

~하는 데 사용되다 ㈜ be used for -ing

be(~이다) + used(사용된) + to+동사원형(~하는 것) = ~하는 것에 사용되다

An oven **is used to** cook dishes for a long time.
오븐은 오랜 시간 동안 음식을 요리하는 데 사용된다.

VS

☐☐ 058

be used to -ing

~하는 것에 익숙하다 ㈜ be accustomed to -ing

be(~이다) + used(익숙한) + to(~에) + -ing(~하는 것) = ~하는 것에 익숙하다

Mr. Craig **is used to** driv**ing** in the city.
Mr. Craig는 도시에서 운전하는 것에 익숙하다.

➕ get used to -ing ~하는 것에 익숙해지다

서술형 만점 표현

☐☐ 059

ask A to + 동사원형

A에게 ~하라고 요청하다

The janitor **asked** us **to** take the stairs.
그 관리인은 우리에게 계단을 사용하라고 요청했다.

➕ advise A to + 동사원형 A에게 ~하라고 권고하다
　 tell A to + 동사원형 A에게 ~하라고 말하다

Plus+　목적어에게 어떤 것을 하라고 요청할 경우에는, 5형식 동사 ask, advise, tell 뒤에 '목적어(A)'와 'to+동사원형'을 써서 나타내요.
My doctor **advised** me **to** go on a diet.
나의 의사 선생님은 내게 다이어트를 하라고 권고했다.

☐☐ 060

allow A to + 동사원형

A가 ~하게 해 주다

Mr. Lee will **allow** us **to** practice in the gym.
Mr. Lee는 우리가 체육관에서 연습하게 해 줄 거예요.

➕ cause A to + 동사원형 A가 ~하게 하다
　 expect A to + 동사원형 A가 ~하기를 기대하다
　 want A to + 동사원형 A가 ~하기를 원하다

Plus+　목적어가 어떤 것을 할 수 있게 해 주거나, 어떤 것을 하기를 원할 때에는, 5형식 동사 allow, cause, expect, want 뒤에 '목적어(A)'와 'to+동사원형'을 써요.
We **want** you **to** enjoy the movie. 우리는 네가 그 영화를 즐기기를 원해.

Daily Test

[01~08] 영어는 우리말로, 우리말은 영어로 쓰세요.

01 a lot of _____

02 come down _____

03 major in _____

04 concentrate on _____

05 약속하다 _____

06 ~ (도)중에 _____

07 ~을 둘러보다 _____

08 ~하는 데 사용되다 _____

[09~12] 빈칸에 알맞은 표현을 <보기>에서 한 번씩 골라 쓰세요. (필요하다면, 형태도 올바르게 고치세요.)

<보기>	get rid of	look forward to	consist of	fill in

09 The group _____ 20 students.
그 그룹은 20명의 학생들로 이루어져 있다.

10 You must _____ a form before seeing the doctor.
당신은 의사의 진찰을 받기 전에 반드시 양식을 작성해야 한다.

11 Beth _____ all her old toys.
Beth는 그녀의 모든 낡은 장난감들을 없앴다.

12 Most people always _____ their vacations.
대부분의 사람들은 늘 자신의 휴가를 기다린다.

[13~15] 문장에서 틀린 부분을 찾아 바르게 고치세요.

13 You can't help fall asleep when you're tired. _____ → _____
피곤하면 당신은 잠이 들 수밖에 없다.

14 The paper should be completed with time. _____ → _____
그 리포트는 제시간에 완료되어야 한다.

15 He was used to wake up early. _____ → _____
그는 일찍 일어나는 것에 익숙했다.

[16~18] 빈칸에 올바른 표현을 써서 문장을 완성하세요.

16 The player _____ the injury just in a week.

그 선수는 단 일주일 만에 부상을 이겨냈다.

17 The girl _____ after getting a shot.

그 여자아이는 주사를 맞은 후 의식을 잃었다.

18 The roof will _____ rain _____ falling inside the cabin.

지붕은 비가 그 오두막집 안에 떨어지는 것을 막을 것이다.

[19~20] 서술형 만점 표현을 활용하여, 주어진 단어들을 올바른 순서로 배열해 대화를 요약하는 문장을 완성하세요.

Siwon　　　　 : Mom, Tom asked me to play soccer with him. Siwon's mom : Did you finish your homework? Siwon　　　　 : Not yet. But I will finish it tonight. Siwon's mom : You should finish your homework first. Then you can play soccer.

19 Tom asked _____.

(to play, with, him, soccer, Siwon)

20 Siwon's mom didn't _____ before he finished his homework.

(soccer, to play, Siwon, allow)

01 많은　02 내려오다, 내리다　03 ~을 전공하다　04 ~에 집중하다, ~에 여념이 없다　05 make a promise　06 in the middle of　07 look around　08 be used to+동사원형　09 consists of　10 fill in　11 got rid of　12 look forward to　13 fall → falling　14 with → on　15 wake → waking　16 got over　17 passed out　18 prevent, from　19 Siwon to play soccer with him　20 allow Siwon to play soccer

[19~20 해석]

시원: 엄마, Tom이 제게 자기와 함께 축구를 하자고 요청했어요.

시원이의 엄마: 너 숙제 다 했니?

시원: 아뇨, 아직이요. 하지만 오늘 밤에 다 할 거예요.

시원이의 엄마: 넌 숙제를 먼저 끝내야 해. 그러고 나면 축구를 할 수 있어.

19 Tom은 시원이에게 그와 함께 축구를 하자고 요청했다.

20 시원이의 엄마는 그(시원이)가 숙제를 끝내기 전에는 시원이가 축구를 하게 해 주지 않았다.

DAY 04

음성 바로 듣기

□□ 061

according to

~에 따르면

according(따르면) + to(~에) = 확실한 진술이나 기록에 따르면

According to the news, the criminal was caught.

뉴스에 따르면, 그 범죄자가 잡혔다.

□□ 062

be angry at

~에(게) 화가 나다, ~에(게) 화를 내다 ㉤ be angry with

be(~이다) + angry(화가 난) + at(~에 대해) = 어떤 대상에 대해 화가 나다

My friend **is angry at** me because I'm late.

내 친구는 내가 늦어서 나에게 화가 나 있다.

□□ 063

call up

~에게 전화를 걸다

call(전화하다) + up(위로) = 전화기를 위로 들어 누군가에게 전화하다

We now send someone a text, rather than **call** him or her **up**.

우리는 오늘날 누군가에게 전화를 걸기보다는, 문자 메시지를 보낸다.

□□ 064

clean up

~을 청소하다, ~을 치우다 ㉤ clean out

clean(청소하다) + up(완전히) = 무언가를 청소해서 완전히 다 치우다

Can you **clean up** the classroom?

네가 교실을 청소해줄 수 있니?

□□ 065

cooperate with

~와 협력하다

cooperate(협력하다) + with(~와) = 누군가와 협력하다

We **cooperate with** others to produce good results.

우리는 좋은 결과를 내기 위해 다른 사람들과 협력한다.

해커스 보카 중학 숙어

□□ 066
do a good job

잘 해내다 ㈜ do well

do(하다) + a good job(잘한 일) = 잘한 일을 하다

Don't worry. You'll **do a good job**. 교과서

걱정하지 마. 너는 잘 해낼 거야.

□□ 067
figure out

~을 알아내다, ~을 이해하다

figure(생각하다) + out(밖으로) = 깊이 생각하여 드러나지 않던 것을 밖으로 알아내다

The scientist **figured out** that space and time are linked. 교과서

그 과학자는 공간과 시간이 연결되어 있다는 것을 알아냈다.

□□ 068
give out

1. ~을 나누어 주다, ~을 지급하다 ㈜ hand out, pass out

give(주다) + out(밖으로) = 자신의 손안에 있던 것을 밖으로 나누어 주다

Sumin and I planned to **give out** free snacks. 교과서

수민이와 나는 무료 간식을 나누어 주기로 계획했다.

2. (소리·빛·냄새 등을) 내다, 발산하다 ㈜ give off

give(내다) + out(밖으로) = 소리나 빛, 냄새를 밖으로 내다

Plants **give out** oxygen to us.

식물들은 우리에게 산소를 발산한다.

□□ 069
in return (for)

(~에 대한) 보답으로, (~의) 대가로 ㈜ in exchange (for)

in(~의 형태로) + return(보답) + for(~에 대해) = 무언가에 대해 보답의 형태로

In return for the use of the fields, the farmers had to pay rent.

밭 이용에 대한 보답으로, 농부들은 임대료를 내야 했다.

□□ 070
in the past

과거에, 이전에는

in(~에) + the past(과거) = 지나간 과거에

Mr. Park was a math teacher **in the past**. 교과서

Mr. Park는 과거에 수학 선생님이었다.

□□ 071

look like

~처럼 생기다, ~처럼 보이다

look(보이다) + like(~처럼) = 특정 대상처럼 보이다

Songpyeon looks like a half moon. (교과서)
송편은 반달처럼 생겼다.

➕ **sound like** ~처럼 들리다 **feel like** ~처럼 느껴지다
  taste like ~처럼 맛이 나다 **smell like** ~처럼 냄새가 나다

□□ 072

lose one's temper

(화가 나서) 이성을 잃다, 성질을 부리다

lose(잃다) + one's(자신의) + temper(성미) = 자신의 본래 성미를 잃고 성질을 부리다

She got really angry and almost lost her temper.
그녀는 정말로 화가 나서 거의 이성을 잃었다.

□□ 073

make an appointment

예약을 하다

make(만들다) + an appointment(만남의 약속) = 만남의 약속을 만들다, 즉, 예약하다

You must make an appointment with our staff member first.
당신은 반드시 먼저 저희 직원에게 예약을 해야 합니다.

➕ **have an appointment** 만날 약속이 있다, 예약되어 있다

□□ 074

on weekends

주말마다 🔁 every weekend

on(~에) + weekends(주말들) = 매주 주말들에, 즉, 주말마다

I always get up late on weekends.
나는 주말마다 항상 늦게 일어난다.

□□ 075

out of sight

보이지 않는 곳에 (있는) 🔄 in sight

out(벗어난) + of(~에서) + sight(시야) = 시야에서 벗어난

If something is out of sight, it's easy to forget about it. (교과서)
어떤 것이 보이지 않는 곳에 있으면, 그것에 대해 잊어버리기 쉽다.

□□ 076

put A together

A를 합치다, A를 조립하다

put(~을 두다) + A + together(함께) = A를 함께 두어 합치다

The composer **put** two music genres **together** and created something new. (교과서)

그 작곡가는 두 음악 장르를 합쳐서 새로운 것을 만들어 냈다.

헷갈리는 함정 숙어

□□ 077

be concerned about

~에 대해 걱정하다 ⓤ be worried about

be(~이다) + concerned(걱정하는) + about(~에 대해) = 어떤 것에 대해 걱정하다

Emma's dad **was concerned about** her bad temper.

Emma의 아빠는 그녀의 나쁜 성미에 대해 걱정했다.

VS

□□ 078

be concerned with

~과 관계가 있다

be(~이다) + concerned(관계가 있는) + with(~과) = 어떤 것과 관계가 있다

My job **is concerned with** advertising.

나의 직업은 광고와 관계가 있다.

서술형 만점 표현

□□ 079

have A + 동사원형

A가 ~하게 하다

I will **have her call you back.** (교과서)

그녀가 당신에게 다시 전화하게 할게요.

➕ make A + 동사원형 A가 ~하게 만들다　let A + 동사원형 A가 ~하게 해 주다

Plus+ | 목적어가 어떤 행동을 능동적으로 직접 하게 시키는 경우에는, 사역동사 have, make, let 뒤에 '목적어(A) + 동사원형'을 써서 나타내요.
I will **let** him **ride** my new bike. 나는 그가 나의 새 자전거를 타게 해 줄 거야.

□□ 080

have A + 과거분사

A가 ~되게 하다, A가 ~당하게 하다

How long will it take to **have the laptop fixed?**

노트북이 고쳐지게 하는 데 얼마나 걸릴까요?

Plus+ | 목적어가 어떤 행동을 수동적으로 당하거나 어떤 상태가 되게 만들 경우에는, 사역동사 have나 준사역동사 get 뒤에 '목적어(A) + 과거분사(p.p.)'를 써서 나타내요.
Call a car repair shop and **get** your car **checked.**
자동차 정비소에 전화해서 당신의 차가 점검되게 하세요.

Daily Test

[01~08] 영어는 우리말로, 우리말은 영어로 쓰세요.

01 clean up _____

02 give out _____

03 do a good job _____

04 put A together _____

05 과거에, 이전에는 _____

06 (화가 나서) 이성을 잃다 _____

07 ~에게 전화를 걸다 _____

08 보이지 않는 곳에 (있는) _____

[09~12] 빈칸에 알맞은 표현을 <보기>에서 한 번씩 골라 쓰세요. (필요하다면, 형태도 올바르게 고치세요.)

| <보기> | cooperate with | be angry at | make an appointment | look like |

09 She _____ me for lying.

그녀는 거짓말한 것 때문에 나에게 화가 나 있다.

10 Two countries _____ each other.

두 나라는 서로 협력했다.

11 The man _____ a famous movie star.

그 남자는 유명 영화배우처럼 생겼다.

12 You can _____ with the doctor by phone.

당신은 전화로 의사와 예약을 할 수 있습니다.

[13~15] 문장에서 틀린 부분을 찾아 바르게 고치세요.

13 Your mom is concerned with how little you sleep. _____ → _____

너희 엄마는 네가 얼마나 잠을 적게 자는지에 대해 걱정하셔.

14 I gave Lisa fruit in return with some bread. _____ → _____

나는 약간의 빵에 대한 보답으로 Lisa에게 과일을 주었다.

15 Many children play sports every weekends. _____ → _____

많은 아이들이 주말마다 운동을 한다.

[16~18] 빈칸에 올바른 표현을 써서 문장을 완성하세요.

16 The disease _____ the new virus.

그 질병은 새로운 바이러스와 관계가 있다.

17 The store is closed _____ the website.

웹사이트에 따르면 그 가게는 문을 닫았다.

18 The students couldn't _____ the answer.

학생들은 답을 알아낼 수 없었다.

[19~20] 서술형 만점 표현과 주어진 단어들을 활용하여, 우리말 뜻에 맞도록 대화를 완성하세요.

Jongmin : Hello, can I speak to Jisu?

Jisu's dad: Sorry, she's not here right now. Who's calling, please?

Jongmin : This is Jongmin, Jisu's friend. **19** 그녀가 제게 다시 전화하게 해주시겠어요?

Jisu's dad: Sure, she'll be home soon. **20** 그녀는 1시간 전쯤에 그녀의 핸드폰이 고쳐지도록 수리점에 갔거든요.

19 그녀가 제게 다시 전화하게 해주시겠어요? (have, call)

→ Could you please _____ me back?

20 그녀는 1시간 전쯤에 그녀의 핸드폰이 고쳐지도록 수리점에 갔거든요. (have, fix)

→ She went to the repair shop to _____ about an hour ago.

DAY 05

□□ 081
A rather than B

(차라리) B보다는 A, B 대신에 A ㉠ A instead of B

A + rather(차라리) + than(~보다는) + B = B보다는 차라리 A

We enjoy surfing rather than swimming.
우리는 수영보다는 서핑을 즐긴다.

□□ 082
all the time

항상, 늘 ㉠ always

all(모든) + the time(시간) = 모든 시간에 항상

You are full of energy all the time. 교과서
너는 항상 활기가 넘친다.

□□ 083
call out

(큰 소리로) ~를 부르다, ~를 호출하다

call(부르다) + out(밖으로) = 입 밖으로 큰 소리를 내서 누군가를 부르다

The teacher called out the names of the students. 교과서
그 선생님은 학생들의 이름을 불렀다.

□□ 084
check over

~을 자세히 살피다, ~을 철저히 점검하다

check(점검하다) + over(다시) = 점검하기 위해 다시 또 살피다

Check over your assignment again and again.
너의 과제물을 몇 번이고 자세히 살펴라.

□□ 085
cry out

소리를 지르다, 외치다 ㉠ shout out

cry(울부짖다) + out(밖으로) = 입 밖으로 큰 소리를 내서 울부짖다

Ms. Kim was so angry that she cried out to the sky. 교과서
Ms. Kim은 너무 화가 나서 하늘을 향해 소리를 질렀다.

□□ 086

do exercise

운동하다 ㉭ get exercise, work out

do(하다) + exercise(운동) = 운동을 하다

How about going outside and doing exercise?
밖에 나가서 운동하는 게 어때?

□□ 087

fall down

무너지다, 넘어지다

fall(떨어지다) + down(아래로) = 아래로 떨어지며 넘어지고 무너지다

When an earthquake hits, many homes can fall down. (교과서)
지진이 강타할 때, 많은 집들이 무너질 수 있다.

□□ 088

go away

(떠나) 가다

go(가다) + away(멀리) = 멀리 떨어진 곳으로 가다

Go away! Don't bother me right now. (교과서)
가! 지금은 나를 성가시게 하지 마.

□□ 089

in order to + 동사원형

~하기 위해서 ㉭ so as to + 동사원형

in order(알맞은) + to+동사원형(~하는 것) = ~하는 것에 알맞기 위해서

In order to sign up, you have to visit the main office.
신청하기 위해서, 당신은 본사를 방문해야 합니다.

□□ 090

in the future

미래에, 앞으로는

in(~에) + the future(미래) = 다가올 미래에

Gina wants to be a soccer player in the future. (교과서)
Gina는 미래에 축구 선수가 되고 싶다.

DAY 05

해커스 보카 중학 숙어

□□ 091

look down on

~를 낮춰 보다, ~을 경시하다 ⑲ look up to

look(보다) + down(아래로) + on(~에 대해) = 누군가에 대해 아래로 낮춰 보다

The competing teams started to **look down on** one another.

경쟁 팀들은 서로를 낮춰 보기 시작했다.

□□ 092

make a decision

결정을 내리다

make(만들다) + a decision(결정) = 결정을 만들어 내리다

Sometimes, we need help to **make a decision**.

때때로, 우리는 결정을 내리기 위해 도움이 필요하다.

□□ 093

make friends with

~와 친해지다, ~와 친구가 되다

make(만들다) + friends(친구) + with(~와 함께) = 누군가와 함께 친구 관계를 만들다

He wants to **make friends with** his new classmates. (교과서)

그는 그의 새로운 반 친구들과 친해지고 싶어 한다.

□□ 094

once upon a time

옛날 옛적에

once(한때) + upon(~에서) + a time(한 시절) = 지난 한 시절에서의 한때에

Once upon a time, there lived an old queen.

옛날 옛적에, 나이가 많은 여왕이 살고 있었다.

□□ 095

out of breath

숨이 찬, 숨이 가쁜

out(없어진) + of(~이) + breath(숨) = 숨이 차서 들이쉬고 내쉴 숨이 없어진

After running for two hours, Hyein was **out of breath**.

두 시간 동안 달리고 난 후, 혜인이는 숨이 찼다.

□□ 096

take A home

A를 집으로 가져가다, A를 집으로 데려가다

take(~을 가져가다) + A + home(집으로) = A를 집으로 가져가다

I will **take** this bottle **home** and make a vase. (교과서)

나는 이 병을 집으로 가져가서 꽃병을 만들 거야.

헷갈리는 함정 숙어

□□ 097

be good at

~을 잘하다, ~에 능숙하다 ⊛ be skilled at

be(~이다) + good(솜씨가 좋은) + at(~에) = 어떤 것에 솜씨가 좋다

I'm good at singing.
나는 노래 부르는 것을 잘한다.

VS

□□ 098

be good for

~에 이롭다, ~에 좋다 ⊕ be bad for

be(~이다) + good(이로운) + for(~에 대해) = 어떤 대상에 대해 이롭다

Honey is good for our health and tastes sweet. (교과서)
꿀은 우리의 건강에 이롭고 맛도 달콤하다.

서술형 만점 표현

□□ 099

help A+(to+)동사원형

A가 ~하는 것을 돕다

Foods including calcium can help you grow taller. (교과서)
칼슘을 함유하고 있는 음식들은 당신이 키가 더 크는 것을 도울 수 있습니다.

Plus+ 준사역동사 help 뒤에는 '목적어(A) + 동사원형' 외에도 '목적어(A) + to+동사원형'
이 올 수 있어요.
Foods including calcium can help you to grow taller.
칼슘을 함유하고 있는 음식들은 당신이 키가 더 크는 것을 도울 수 있습니다.

□□ 100

see A+동사원형/-ing

A가 ~하는 것을 보다

I saw you play the guitar.
나는 네가 기타 연주하는 것을 보았다.

➊ watch A + 동사원형 A가 ~하는 것을 보다
hear A + 동사원형 A가 ~하는 것을 듣다
feel A + 동사원형 A가 ~하는 것을 느끼다
notice A + 동사원형 A가 ~하는 것을 알아채다

Plus+ 지각동사 see, watch, hear, feel, notice 뒤에는 '목적어(A) + 동사원형' 또는 '목적
어(A) + 현재분사(-ing)'가 올 수 있어요. 일반적으로, 목적어(A)의 행동이 진행 중일
때는 '현재분사(-ing)'를 써서 나타내요.
I saw you playing the guitar. 나는 네가 기타 연주하고 있는 것을 보았다.

Daily Test

[01~08] 영어는 우리말로, 우리말은 영어로 쓰세요.

01 cry out _____

02 do exercise _____

03 take A home _____

04 in the future _____

05 (큰 소리로) ~를 부르다 _____

06 (떠나) 가다 _____

07 결정을 내리다 _____

08 ~와 친구가 되다 _____

[09~12] 빈칸에 알맞은 표현을 <보기>에서 한 번씩 골라 쓰세요. (필요하다면, 형태도 올바르게 고치세요.)

<보기>	out of breath	all the time	once upon a time	fall down

09 Take a break if you're _____.
숨이 차면 잠깐 쉬어라.

10 The dancer _____ during the show.
그 무용수는 공연 중에 넘어졌다.

11 It rains _____ in England.
영국에는 항상 비가 내린다.

12 _____, there was a good king.
옛날 옛적에, 훌륭한 왕이 있었다.

[13~15] 문장에서 틀린 부분을 찾아 바르게 고치세요.

13 The prince looked down to his people. _____ → _____
그 왕자는 그의 국민들을 경시했다.

14 Check in your research again. _____ → _____
당신의 연구를 다시 철저히 점검하세요.

15 She is good for playing computer games. _____ → _____
그녀는 컴퓨터 게임하는 것을 잘한다.

[16~18] 빈칸에 올바른 표현을 써서 문장을 완성하세요.

16 We can take a taxi _____ a bus.

우리는 버스 대신에 택시를 탈 수 있다.

17 _____ play soccer, you must be on a team.

축구를 하기 위해서, 너는 반드시 하나의 팀에 속해야 한다.

18 Puzzles _____ brain health.

퍼즐은 뇌 건강에 이롭다.

[19~20] 서술형 만점 표현과 주어진 단어들을 활용하여 문장을 완성하세요.

19 I saw _____ in the pool. (Yerin, swim)

나는 예린이가 수영장에서 수영하는 것을 보았다.

20 My friend helped _____ the bathroom. (me, clean)

내 친구는 내가 화장실을 청소하는 것을 도와주었다.

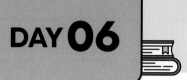

DAY 06

음성 바로 듣기

☐☐ 101

arrive at

~에 도착하다 ⊕ arrive in ⊕ depart from

arrive(도착하다) + at(~에) = 특정 장소에 도착하다

She'll **arrive at** the train station at 5 p.m.

그녀는 오후 5시에 기차역에 도착할 것이다.

☐☐ 102

call for

~을 요구하다, ~을 필요로 하다 ⊕ require

call(외치다) + for(~을 위해) = 목적을 위해 큰 소리로 외치며 요구하다

Every culture **calls for** different leadership styles. 교과서

모든 문화는 서로 다른 리더십 유형을 요구한다.

☐☐ 103

check on

~를 확인하다, ~을 점검하다

check(확인하다) + on(~에 대해) = 누군가에 대해 이상이 없는지를 확인하다

The nurse **checked on** her patients.

그 간호사는 자신의 환자들을 확인했다.

☐☐ 104

devote oneself to

~에 헌신하다, ~에 전념하다

devote(바치다) + oneself(자기 자신) + to(~에) = 어떤 일에 자기 자신을 바치다

I know a doctor who has **devoted himself to** his job for years.

나는 수년간 자신의 일에 헌신해 온 한 의사를 알고 있다.

➕ devote one's life to ~에 일생을 바치다

☐☐ 105

fall asleep

잠들다

fall(빠지다) + asleep(잠이 든) = 잠이 든 상태에 빠지다

I couldn't **fall asleep** until late in the evening.

나는 저녁 늦게까지 잠들지 못했다.

□□ 106
go for a walk

산책하러 가다 ⑨ take a walk

go(가다) + for(~을 위해) + a walk(산책) = 산책을 위해 가다

Ron went for a walk along the river. 교과서

Ron은 강을 따라 산책하러 갔다.

➕ go for a jog 조깅하러 가다   go for a drive 드라이브하러 가다

□□ 107
in one's opinion

~의 의견으로는, ~의 생각에는

in(~의 형태로) + one's(누군가의) + opinion(의견) = 누군가의 의견의 형태로는

In my opinion, Seojun's story is very creative. 교과서

내 생각에는, 서준이의 이야기가 매우 창의적이다.

□□ 108
in the end

결국에는, 마침내 ⑨ after all

in(~에) + the end(끝) = 결국 어떤 일의 끝에는

He will solve the problems and become smarter **in the end.** 교과서

그는 그 문제들을 해결해서 결국에는 더 똑똑해질 것이다.

□□ 109
look back

1. 뒤돌아보다

look(보다) + back(뒤로) = 뒤로 돌아서 보다

When I **looked back**, I saw Minji waving at me. 교과서

내가 뒤돌아보았을 때, 나는 민지가 내게 손을 흔들고 있는 것을 보았다.

2. (과거를) 되돌아보다, 회고하다

look(보다) + back(다시) = 지나간 과거를 다시 보다

As I **look back** on my life, I learned from many mistakes.

나의 삶을 되돌아보니, 나는 많은 실수들을 통해 배움을 얻었다.

□□ 110
make a living

생활비를 벌다, 생계를 꾸리다 ⑨ earn a living

make(만들다) + a living(생계) = 생활할 돈을 벌어 생계를 만들어 가다

People in my town **make a living** by catching fish. 교과서

우리 동네의 사람들은 물고기를 잡아서 생활비를 번다.

➕ for a living 생계를 위해, 생계 수단으로

□□ 111
make it (to)

(~에) 성공하다, (~에) 진출하다

make(만들다) + it(그것) + to(~으로) = 한 단계 위로 향하는 그것, 즉 성공을 만들다

The team didn't make it to the finals, but they did their best. (교과서)

그 팀은 결승전에 진출하지는 못했지만, 그들은 최선을 다했다.

□□ 112
one day

(과거·미래의) 어느 날

one(어떤) + day(날) = 과거나 미래의 정해지지 않은 어떤 날

One day, a large bear appeared in the village. (교과서)

어느 날, 큰 곰 한 마리가 마을에 나타났다.

➕ some day (막연한 미래의) 언젠가

□□ 113
or so

~쯤, ~가량

or(또는) + so(그 정도로) = 어떤 수량만큼 또는 그 정도로

The staff said the plane would leave in an hour or so.

그 직원은 비행기가 한 시간쯤 후에 떠날 것이라고 말했다.

□□ 114
regard A as B

A를 B로 여기다 🅐 consider A as B

regard(~을 여기다) + A + as(~으로) + B = A를 B로 여기다

Some people regard their parents as heroes.

몇몇 사람들은 그들의 부모님을 영웅으로 여긴다.

□□ 115
show A around

A에게 구경을 시켜주다, A를 안내하다

show(보여주다) + A + around(주변에) = A에게 주변에 대해 보여주다

Andy is coming to Seoul, so I'm planning to show him around. (교과서)

Andy가 서울에 올 것이어서, 나는 그에게 구경을 시켜줄 계획을 하고 있다.

➕ look around 둘러보다

□□ 116
try one's best

최선을 다하다 ㊤ do one's best

try(노력하다) + one's(자신의) + best(최선) = 자신의 최선을 다해 노력하다

I will try my best to be a great singer like him. (교과서)

나는 그처럼 훌륭한 가수가 되기 위해 최선을 다할 것이다.

헷갈리는 함정 숙어

□□ 117
be made (up) of

~으로 만들어지다, ~으로 이루어지다

be(~이다) + made(만들어진) + up(완전히) + of(~으로)
= 어떤 요소들로 완전히 만들어지다

The thick walls are made of stone. (교과서)

그 두꺼운 벽은 돌로 만들어져 있다.

VS

Plus+ | 주어의 성질이 주어를 구성하는 바탕이 되는 요소/재료의 상태나 속성으로부터 거의 변하지 않았을 때는, '주어 + be made (up) of + 요소/재료'의 형태로 나타내요.

□□ 118
be made from

~으로 만들어지다

be(~이다) + made(만들어진) + from(~으로부터) = 바탕이 되는 재료로부터 만들어지다

The ice cream is made from coconut milk.

그 아이스크림은 코코넛밀크로 만들어진다.

Plus+ | 주어의 성질이 주어를 구성하는 바탕이 되는 요소/재료의 상태나 속성으로부터 변했을 때는, '주어 + be made from + 요소/재료'의 형태로 나타내요.

서술형 만점 표현

□□ 119
How 형용사(+주어+동사)!

(-은) 정말 ~하구나!

How nice she is!

그녀는 정말 친절하구나!

➕ How 부사 + 주어 + 동사! (-은) 정말 ~하게 …하는구나!

Plus+ | How 감탄문이 부사를 강조할 때는 '주어 + 동사'를 생략할 수 없어요.
How well he swims! (O) 그는 정말 수영을 잘 하는구나! / **How well!** (X)

□□ 120
What a(n) 형용사+명사 (+주어+동사)!

(-은) 정말 ~한 …구나!

What a beautiful garden it is! (교과서)

그것은 정말 아름다운 정원이구나!

Daily Test

[01~08] 영어는 우리말로, 우리말은 영어로 쓰세요.

01 call for _____

02 show A around _____

03 go for a walk _____

04 be made from _____

05 ~쯤, ~가량 _____

06 ~을 점검하다 _____

07 ~의 의견으로는 _____

08 (~에) 성공하다 _____

[09~12] 빈칸에 알맞은 표현을 <보기>에서 한 번씩 골라 쓰세요. (필요하다면, 형태도 올바르게 고치세요.)

<보기>	try one's best	in the end	make a living	one day

09 We met at the shop _____.
    우리는 어느 날 그 가게에서 만났다.

10 _____, Spain lost the war.
    결국에는, 스페인이 전쟁에서 졌다.

11 He _____ by selling houses.
    그는 집을 판매해서 생활비를 번다.

12 She _____ to win the race.
    그녀는 경주에서 우승하기 위해 최선을 다했다.

[13~15] 문장에서 틀린 부분을 찾아 바르게 고치세요.

13 The building is made from bricks.   _____ → _____
    그 건물은 벽돌로 이루어져 있다.

14 I fell sleep after reading that book.   _____ → _____
    나는 그 책을 읽고 난 후 잠들었다.

15 Jaewon regards his friends to his family.   _____ → _____
    재원이는 자신의 친구들을 가족으로 여긴다.

[16~18] 빈칸에 올바른 표현을 써서 문장을 완성하세요.

16 I _____ the airport early tomorrow.
나는 내일 일찍 공항에 도착할 것이다.

17 The author _____ his novel.
그 작가는 자신의 소설에 전념했다.

18 They _____ on the event and were proud of it.
그들은 그 일을 되돌아보면서 그것을 자랑스러워했다.

[19~20] 서술형 만점 표현과 주어진 단어들을 활용하여 감탄문을 완성하세요.

19 How _____! (is, your sister, kind)
너희 언니는 정말 친절하시구나!

20 What _____! (a, painting, is, wonderful, it)
그것은 정말 멋진 그림이구나!

정답 및 해석
01 ~을 요구하다, ~을 필요로 하다   02 A에게 구경을 시켜주다, A를 안내하다   03 산책하러 가다   04 ~으로 만들어지다   05 or so   06 check on
07 in one's opinion   08 make it (to)   09 one day   10 In the end   11 makes a living   12 tried her best   13 from → of 또는 up of
14 sleep → asleep   15 to → as   16 will arrive at   17 devoted himself to   18 looked back   19 kind your sister is   20 a wonderful painting it is

DAY 07

□□ 121

at that time

그때(는), 그 당시에(는) ⑧ at that point

at(~에) + that(그) + time(때) = 그때에는

At that time, the captain didn't know that a storm was coming.
그때, 선장은 폭풍이 오고 있다는 것을 알지 못했다.

□□ 122

by bus

버스로, 버스를 타고

by(~으로) + bus(버스) = 버스로

I usually go to the office **by bus**.
나는 대개 버스를 타고 사무실에 출근한다.

➕ by subway 지하철로, 지하철을 타고   on foot 도보로, 걸어서

□□ 123

change one's mind

생각을 바꾸다, 마음을 바꾸다

change(바꾸다) + one's(자신의) + mind(생각) = 자신의 생각을 바꾸다

If you can **change your mind**, it can change your future. 교과서
만약 당신이 생각을 바꿀 수 있다면, 그것은 당신의 미래를 바꿀 수 있다.

□□ 124

do harm

피해를 입히다, 손해를 끼치다 ⑪ do good

do(가하다) + harm(피해) = 피해를 가하다

Tornadoes can **do harm** to people in many ways. 교과서
토네이도는 여러모로 사람들에게 피해를 입힐 수 있다.

□□ 125

dream about

~을 꿈꾸다 ⑧ dream of

dream(꿈꾸다) + about(~에 대해) = 바라는 것에 대해 꿈꾸다

He **dreamed about** having lots of money.
그는 많은 돈을 갖는 것을 꿈꾸었다.

□□ 126
except for

~을 제외하고(는), ~ 외에는 (반) including

except(제외하고) + for(~을) = 어떤 것을 제외하고는

Everyone has brought their book reports, **except for me.** (교과서)
나를 제외하고, 모두가 자신의 독후감을 가져왔다.

□□ 127
go up

1. ~을 올라가다

go(가다) + up(위로) = 높은 곳을 위로 올라서 가다

I'm going to **go up** Seoraksan now. (교과서)
나는 이제 설악산을 올라갈 것이다.

2. ~이 오르다, ~이 상승하다 (반) go down

go(가다) + up(위로) = 높이나 정도가 위로 올라가다

Solid ice melts when the temperature **goes up.** (교과서)
고체 얼음은 온도가 올라가면 녹는다.

□□ 128
in front of

~의 앞에(서) (반) behind

in(~에서) + front(앞쪽) + of(~에 대해) = 무언가에 대해 앞쪽에서

They are taking photos **in front of** the statue. (교과서)
그들은 조각상의 앞에서 사진을 찍고 있다.

□□ 129
in need

어려움에 처한, 궁핍한

in(~의 상태에 있는) + need(필요) = 돈 등이 필요한 상태에 있어 어려움에 처한

My school raised money to help students **in need.**
우리 학교는 어려움에 처한 학생들을 돕기 위해 돈을 모금했다.

□□ 130
live without

~ 없이 살다 (유) do without

live(살다) + without(~ 없이) = 어떤 것 없이 살다

It's impossible for you to **live without** your smartphone. (교과서)
당신이 당신의 스마트폰 없이 사는 것은 불가능합니다.

□□ 131
make a speech

연설을 하다 ⑪ give a speech, deliver a speech

make(만들다) + a speech(연설) = 연설을 만들어서 하다

Are you nervous when you **make a speech**?
너는 연설을 할 때 긴장되니?

□□ 132
more than

~보다 많은, ~ 이상(의) ⑪ less than

more(더 많은) + than(~보다) = 무엇보다 더 많은

I go for a walk **more than** three times a week. 교과서
나는 일주일에 세 번 이상 산책하러 간다.

□□ 133
on the phone

전화로, 통화 중인

on(~으로) + the phone(전화) = 전화로

You should talk quietly **on the phone**.
너는 전화로 조용히 이야기해야 한다.

□□ 134
pass away

돌아가시다, 사망하다 ⑪ die

pass(지나서 가다) + away(멀리) = 이승을 지나서 멀리 저승으로 가다

My grandfather **passed away** ten years ago.
나의 할아버지는 10년 전에 돌아가셨다.

□□ 135
run for

~에 출마하다, ~에 입후보하다

run(달리다) + for(~을 위해) = 당선을 위해 달리다

I've decided to **run for** club president.
나는 동아리 회장에 출마하기로 결정했다.

□□ 136
set A free

A를 풀어주다, A를 석방하다

set(~를 두다) + A + free(자유로운) = A를 자유로운 상태로 두기 위해 풀어주다

The judge finally decided to **set** the prisoner **free**. 교과서
판사는 결국 그 죄수를 풀어주기로 결정했다.

헷갈리는 함정 숙어

□□ 137

be familiar with

~에 (대해) 익숙하다, ~에 (대해) 정통하다

be(~이다) + familiar(익숙한) + with(~에 대해) = 어떤 주제나 사안에 대해 익숙하다

Most of us **are familiar with** global warming. 교과서

우리 대부분은 지구 온난화에 대해 익숙하다.

VS

□□ 138

be familiar to

~에게 친숙하다, ~에게 익숙하다

be(~이다) + familiar(친숙한) + to(~에게) = 누군가에게 친숙하다

The research topic **was familiar to** me.

그 연구 주제는 나에게 익숙했다.

서술형 만점 표현

□□ 139

how + 주어 + 동사

어떻게 ~인지, 어떻게 ~하는지

I'm going to talk about **how** I found my job.

저는 제가 어떻게 제 일자리를 구했는지에 대해 말할 것입니다.

➕ who (+ 주어) + 동사: 누가/누구를 ~인지, 누가/누구를 ~하는지
   what (+ 주어) + 동사: 무엇이/무엇을 ~인지, 무엇이/무엇을 ~하는지
   which (+ 주어) + 동사: 무엇이/무엇을 ~인지, 무엇이/무엇을 ~하는지
   where + 주어 + 동사: 어디서 ~인지, 어디서 ~하는지
   when + 주어 + 동사: 언제 ~인지, 언제 ~하는지
   why + 주어 + 동사: 왜 ~인지, 왜 ~하는지

Plus+   의문사(who, which, where, when, why, how)를 포함하는 간접 의문문은 '의문사 + 주어 + 동사'의 어순으로 나타내요.

□□ 140

if + 주어 + 동사

~인지 (아닌지) ⊛ whether + 주어 + 동사

I wonder **if** wolves are faster than lions.

나는 늑대가 사자보다 빠른지 아닌지 궁금하다.

Plus+   의문사가 없는 간접 의문문은 'if[whether] + 주어 + 동사'의 어순으로 나타내요. 이때 if는 '~인지 (아닌지)'라는 의미의 명사절 접속사예요.

Daily Test

[01~08] 영어는 우리말로, 우리말은 영어로 쓰세요.

01 at that time _____

02 dream about _____

03 more than _____

04 live without _____

05 전화로, 통화 중인 _____

06 ~의 앞에(서) _____

07 연설을 하다 _____

08 A를 석방하다 _____

[09~12] 빈칸에 알맞은 표현을 <보기>에서 한 번씩 골라 쓰세요. (필요하다면, 형태도 올바르게 고치세요.)

<보기>	go up	do harm	change one's mind	pass away

09 The fire _____ to the village.
화재는 그 마을에 피해를 입혔다.

10 I'll _____ the tower for the view.
나는 전망을 보기 위해 그 탑을 올라갈 것이다.

11 The old man _____ at the age of 90.
그 노인은 90세에 돌아가셨다.

12 He _____ about going to Italy.
그는 이탈리아에 가는 것에 대해 마음을 바꾸었다.

[13~15] 문장에서 틀린 부분을 찾아 바르게 고치세요.

13 You can reach any part of the city in bus.   _____ → _____
당신은 버스로 그 도시의 어떤 지역이든 갈 수 있다.

14 I am familiar to the works of Andy Warhol.   _____ → _____
나는 앤디 워홀의 작품들에 대해 정통하다.

15 Joe Biden ran on president of the U.S. in 2020.   _____ → _____
조 바이든은 2020년에 미국 대통령에 출마했다.

[16~18] 빈칸에 올바른 표현을 써서 문장을 완성하세요.

16 The company donated clothes to children _____ .

그 회사는 어려움에 처한 아이들에게 옷을 기부했다.

17 Every employee agreed _____ Mr. Cruz.

Mr. Cruz를 제외하고 모든 직원이 동의했다.

18 Popular music _____ us.

대중 음악은 우리에게 익숙하다.

[19~20] 서술형 만점 표현을 활용하여, 우리말 뜻에 맞도록 주어진 두 문장을 한 문장으로 연결하세요.

19 a. I don't know. (나는 몰라.)

b. How did you solve the problem? (너는 어떻게 그 문제를 풀었니?)

= I _____ .

(나는 네가 어떻게 그 문제를 풀었는지 몰라.)

20 a. I wonder. (나는 궁금해.)

b. Does he like me? (그가 나를 좋아하니?)

= I _____ .

(나는 그가 나를 좋아하는지 궁금해.)

DAY 08

음성 바로 듣기

☐☐ 141

at the same time
동시에, 함께

at(~에) + the same(같은) + time(시간) = 같은 시간에 동시에

Rosie can do multiple things at the same time. (교과서)
Rosie는 여러 가지 것들을 동시에 할 수 있다.

☐☐ 142

bring up
(아이를) 기르다, 양육하다 (유) raise

bring(데려오다) + up(위로) = 아기를 데려와 위로 쑥쑥 자라게 키우다

My grandmother brought us up with her love. (교과서)
우리 할머니께서 우리를 사랑으로 길러 주셨다.

☐☐ 143

change (in)to
~으로 바뀌다, ~으로 변하다 (유) turn (in)to

change(바뀌다) + into(~으로) = 어떤 것으로 바뀌다

The eggs didn't change into birds! (교과서)
그 알들은 새들로 바뀌지 않았어요!

➕ change A (in)to B A를 B로 바꾸다

☐☐ 144

do without
~ 없이 해내다, ~ 없이 지내다 (유) live without

do(하다) + without(~ 없이) = 어떤 것 없이 해내거나 지내다

She can't do without coffee. She drinks it all the time.
그녀는 커피 없이 지낼 수 없다. 그녀는 늘 그것을 마신다.

☐☐ 145

end in
~으로 끝나다

end(끝나다) + in(~의 상태로) = 어떤 결과 또는 상태로 끝나다

The goodbye party ended in tears.
그 송별회는 눈물로 끝났다.

해커스 보카 중학 숙어

□□ 146
end up -ing

결국 ~하게 되다

end(끝나다) + up(완전히) + -ing(~하는 것) = 결국 ~하는 것으로 완전히 끝나다

I tried to study for the test, but ended up do**ing** something else. 교과서

나는 시험을 위해 공부하려고 노력했지만, 결국 다른 것을 하게 되었다.

□□ 147
go wrong

잘못되다, 고장 나다

go(가다) + wrong(잘못된) = 상황이나 일이 잘못된 상태로 가다

You don't know when something will go wrong.

당신은 언제 어떤 일이 잘못될지 알 수 없다.

➕ go bad (음식이) 상하다 go well (일 등이) 잘 되어가다

□□ 148
in addition

추가로, 게다가 ⓤ besides, moreover

in(~의 상태에 있는) + addition(추가) = 덧붙여서 추가된 상태에 있는

The surface on Mars is similar to that on Earth. In addition, Mars also has mountains. 교과서

화성의 표면은 지구의 표면과 유사하다. 게다가, 화성에도 산이 있다.

➕ in addition to ~에 덧붙여, ~에 더하여

□□ 149
in fact

사실, 실제로 ⓤ in reality

in(~의 형태로) + fact(사실) = 사실의 형태로

In fact, he was one of the smartest boys in my school.

사실, 그는 우리 학교에서 가장 똑똑한 남자아이들 중 한 명이었다.

□□ 150
like to + 동사원형

~하는 것을 좋아하다

like(좋아하다) + to+동사원형(~하는 것) = ~하는 것을 좋아하다

I like to eat ice cream with chocolate sauce. 교과서

나는 아이스크림을 초콜릿 소스와 함께 먹는 것을 좋아한다.

Plus+ 좋고 싫은 감정을 나타내는 동사 like, love, prefer, hate 등은 'to+동사원형'과 '동명사(-ing)'를 모두 목적어로 취할 수 있어요.
I like eating ice cream with chocolate sauce.
나는 아이스크림을 초콜릿 소스와 함께 먹는 것을 좋아한다.

□□ 151

manage to + 동사원형   간신히 ~하다

manage(간신히 ~해내다) + to+동사원형(~하는 것) = 간신히 ~하는 것을 해내다

The little boy managed to get into the final round.
그 어린 남자아이는 간신히 결승 경기에 진출했다.

□□ 152

miss out   (기회·즐거움 등을) 놓치다

miss(놓치다) + out(없어진) = 기회나 즐거움 등을 놓쳐 완전히 없어지다

This is the opportunity of a lifetime, so don't miss out! (교과서)
이것은 일생일대의 기회이니, 놓치지 마세요!

□□ 153

on earth

1. 지구상에서, 이 세상에서 ㉮ in the world

on(~ 위에서) + earth(지구) = 우리가 살아가는 지구 위에서

The elephant is the largest land animal on earth. (교과서)
코끼리는 지구상에서 가장 큰 육지 동물이다.

2. (의문문에서) 도대체

on(~에) + earth(세상) = 세상에 도대체

Where on earth are Paul and Mike? (교과서)
도대체 Paul과 Mike는 어디에 있니?

□□ 154

on purpose   일부러, 고의로 ㉫ by accident, by mistake

on(~으로) + purpose(목적) = 어떤 목적으로 일부러

Amy didn't talk to Claire on purpose. (교과서)
Amy는 일부러 Claire에게 말을 걸지 않았다.

□□ 155

point to   ~을 가리키다, ~을 지적하다

point(콕 집다) + to(~을 향해) = 어딘가를 향해 손가락으로 콕 집어 가리키다

The girl pointed to the soccer ball in my hand.
그 여자아이는 내 손 안에 있는 축구공을 가리켰다.

□□ 156

send out

~을 내보내다, ~을 발송하다

send(보내다) + out(밖으로) = 알리기 위해 정보나 메시지 등을 밖으로 내보내다

When people lie, they send out the wrong information about themselves.

사람들은 거짓말을 할 때, 그들 자신에 대한 잘못된 정보를 내보낸다.

헷갈리는 함정 숙어

□□ 157

be free of

VS

~이 없다

be(~이다) + free(자유로운) + of(~에서) = 부담이나 책임이 없어서 그것에서 자유롭다

After years of large profits, the company was free of debt.

수년간 큰 이익을 낸 후, 그 회사는 빚이 없었다.

➕ be free of charge 무료이다   be free from ~에서 벗어나다

□□ 158

be free to + 동사원형

자유롭게 ~하다, 마음껏 ~하다 Ⓨ feel free to + 동사원형

be(~이다) + free(자유로운) + to+동사원형(~하는 것) = ~하는 것에 자유롭다

I don't have a car, but I'm free to go anywhere. 교과서

나에게 차는 없지만, 나는 어디로든 자유롭게 간다.

서술형 만점 표현

□□ 159

have + 과거분사

(현재까지) ~해왔다, ~한 적이 있다

People have enjoyed coffee for more than 100 years. 교과서

사람들은 100년이 넘도록 커피를 즐겨왔다.

Plus+ | 과거에 발생한 동작/상태가 현재까지 이어져 오거나 현재에 영향을 미치는 경우, 현재완료 시제 'have[has] + 과거분사(p.p.)'를 사용해서 나타내요.

□□ 160

had + 과거분사

(특정 과거 시점까지) ~해왔었다, ~했었다

My dad had just fixed the TV when I returned home. 교과서

내가 집에 돌아왔을 때 우리 아빠는 막 TV를 고치셨었다.

Plus+ | 특정 과거 시점 이전에 발생했던 동작/상태가 그 과거 시점까지 이어져 왔거나 영향을 미친 경우에는, 과거완료 시제 'had + 과거분사(p.p.)'를 사용해서 나타내요.

Daily Test

[01~08] 영어는 우리말로, 우리말은 영어로 쓰세요.

01 change (in)to _____

02 miss out _____

03 in fact _____

04 on earth _____

05 잘못되다, 고장 나다 _____

06 간신히 ~하다 _____

07 마음껏 ~하다 _____

08 일부러, 고의로 _____

[09~12] 빈칸에 알맞은 표현을 <보기>에서 한 번씩 골라 쓰세요. (필요하다면, 형태도 올바르게 고치세요.)

<보기>	end in	point to	bring up	send out

09 She _____ the baby bird she found.
그녀는 자신이 발견한 아기 새를 길렀다.

10 I _____ the invitation for the party.
나는 파티 초대장을 발송했다.

11 The performance _____ success.
그 공연은 성공으로 끝났다.

12 The teacher _____ the red flower.
선생님은 빨간 꽃을 가리켰다.

[13~15] 문장에서 틀린 부분을 찾아 바르게 고치세요.

13 Students take many classes on the same time. _____ → _____
학생들은 여러 수업을 동시에 수강한다.

14 The dessert is free to charge at the restaurant. _____ → _____
그 식당에서는 디저트가 무료이다.

15 I can't do with my computer for long. _____ → _____
나는 오랫동안 내 컴퓨터 없이 지낼 수 없다.

[16~18] 빈칸에 올바른 표현을 써서 문장을 완성하세요.

16 He _____ to the movies at night.

그는 밤에 영화를 보러 가는 것을 좋아한다.

17 People _____ crying when they saw that picture.

사람들은 그 사진을 보았을 때 결국 울게 되었다.

18 Ms. Choi writes books. _____, she draws cartoons.

Ms. Choi는 책을 쓴다. 게다가, 그녀는 만화도 그린다.

[19~20] 서술형 만점 표현을 활용하여, 주어진 두 문장을 한 문장으로 연결하세요.

19 a. Sohee moved to Busan five years ago.
   b. She still lives in Busan.

   = Sohee _____ in Busan for five years.

20 a. The train left Seoul station at 9:00 a.m.
   b. I got to Seoul station at 9:30 a.m.

   = When I got to Seoul station, the train _____ .

정답 및 해석

01 ~으로 바뀌다, ~으로 변하다   02 (기회·즐거움 등을) 놓치다   03 사실, 실제로   04 지구상에서, 이 세상에서, (의문문에서) 도대체   05 go wrong
06 manage to+동사원형   07 be free to+동사원형   08 on purpose   09 brought up   10 sent out   11 ended in   12 pointed to   13 on → at
14 to → of   15 with → without   16 likes to go 또는 likes going   17 ended up   18 In addition   19 has lived   20 had left

[19~20 해석]
19 a. 소희는 5년 전에 부산으로 이사했다.
   b. 그녀는 여전히 부산에서 살고 있다.
   = 소희는 부산에서 5년 동안 살아왔다.
20 a. 기차가 서울역을 오전 9시에 떠났다.
   b. 나는 서울역에 오전 9시 30분에 도착했다.
   = 내가 서울역에 도착했을 때, 기차는 (그 전에) 떠났었다.

DAY 08 **57**

DAY 09

음성 바로 듣기

□□ 161

be about to + 동사원형

막 ~하려 하다

be(~이다) + about(막 ~하려고 하는) + to+동사원형(~하는 것) = 막 ~하려고 하다

The new baseball season **is about to** begin. 교과서
새로운 야구 시즌이 막 시작되려 한다.

□□ 162

be sorry for

~를 안쓰럽게 여기다, ~에 대해 미안하다 ㈜ feel sorry for

be(~이다) + sorry(안쓰럽게 여기는) + for(~를) = 누군가를 안쓰럽게 여기다

I **was sorry for** the boy and decided to help him.
나는 그 소년을 안쓰럽게 여겨 그를 돕기로 결심했다.

□□ 163

bring in

~를 데려오다, ~을 들여오다

bring(데려오다) + in(~ 안으로) = 어떤 장소 안으로 누군가를 데려오다

Anxiety decreased for employees who **brought in** their dogs.
자신들의 강아지를 데려온 직원들에게서 불안이 감소했다.

□□ 164

catch a cold

감기에 걸리다 ㈜ get a cold

catch(붙잡다) + a cold(감기) = 몸이 감기를 붙잡아 감기에 걸리다

When I **catch a cold**, I eat hot soup. 교과서
감기에 걸리면, 나는 뜨거운 수프를 먹는다.

➊ have a cold 감기에 걸려 있다

□□ 165

dress up

(옷을) 갖추어 입다

dress(옷을 입다) + up(완전히) = 옷을 완전히 갖추어 입다

Why don't you **dress up** for the dance party?
댄스 파티를 위해 옷을 갖추어 입는 것이 어때요?

□□ 166
drop by

잠깐 들르다, 불시에 찾아가다 ㈜ stop by

drop(떨어지다) + by(~ 근처에) = 물방울이 떨어지듯 근처에 잠깐 떨어져 들르다

I'll **drop by** your apartment after playing soccer.
축구를 한 후에 너희 아파트에 잠깐 들를게.

□□ 167
escape from

~에서 탈출하다, ~에(게)서 달아나다

escape(탈출하다) + from(~에서) = 원치 않는 곳에서 탈출하다

The prisoner **escaped from** jail.
그 재소자는 감옥에서 탈출했다.

□□ 168
hang out (with)

(~와) 어울려 다니다

hang(매달리다) + out(밖에서) + with(~와 함께) = 밖에서 친구들과 함께 매달려 다니다

Bona **hung out with** her friends at the mall.
보나는 쇼핑몰에서 그녀의 친구들과 어울려 다녔다.

□□ 169
have A in common

A를 공통점으로 갖다

have(~을 갖다) + A + in(~의 상태로) + common(공통) = A를 공통 상태로 갖다

We don't **have** a lot **in common**, but we are close
friends. (교과서)
우리는 많은 것을 공통점으로 갖고 있지는 않지만, 우리는 친한 친구다.

□□ 170
hold on

(전화 통화에서) 기다리다

hold(꽉 잡다) + on(계속 ~하는) = 전화기를 계속 꽉 잡고 기다리다

Let me check. **Hold on** a second, please.
제가 확인해 볼게요. 잠시만 기다려 주세요.

➊ hold on to ~을 계속 잡다, ~을 지키다, ~을 고수하다

□□ 171
leave a message

메시지를 남기다

leave(남기다) + a message(메시지) = 전달할 메시지를 남기다

Would you like to **leave a message**?
메시지를 남기기를 원하시나요?

➊ take a message 메시지를 받다

□□ 172

lose by

(~점) 차이로 지다

lose(지다) + by(~에 의해) = 어떤 점수 차이에 의해 지다

Our team lost by two points. (교과서)
우리 팀은 2점 차이로 졌다.

➕ win by (~점) 차이로 이기다

□□ 173

mean to + 동사원형

~할 의도이다, ~할 셈이다

mean(의도하다) + to+동사원형(~하는 것) = ~하는 것을 의도하다

I'm sure he did not **mean to** break the window. (교과서)
나는 그가 창문을 깰 의도는 아니었다고 확신한다.

□□ 174

on display

전시 중인, 진열된

on(계속 ~하는) + display(전시) = 계속 전시하는

There are miniature cars **on display**. (교과서)
전시 중인 미니어처 자동차들이 있다.

□□ 175

put on

1. (옷·모자·신발 등을) 입다, 걸치다 (반) take off

put(두다) + on(~ 위에) = 몸 위에 옷이나 모자, 신발 등을 두다

Put on more clothes. (교과서)
옷을 더 많이 입어라.

2. (화장품 등을) 바르다

put(두다) + on(~ 위에) = 화장품 등을 피부 위에 두다

Don't forget to **put on** sunscreen before going to the beach. (교과서)
해변에 가기 전에 자외선 차단제를 바를 것을 잊지 마라.

□□ 176

set out

(여행을) 시작하다, (일에) 착수하다

set(두다) + out(밖에) = 여행이나 새로운 일을 시작하기 위해 발을 문밖에 두다

Alex **set out** for his hunting trip.
Alex는 자신의 사냥 여행을 시작했다.

헷갈리는 함정 숙어

DAY 09
해커스 보카 중학 숙어

□□ 177

be known as

~으로(서) 알려지다

be(~이다) + known(알려진!) + as(~으로서) = 어떤 존재로서 알려지다

Claude Monet **is known as** one of the greatest painters. (교과서)

클로드 모네는 가장 위대한 화가들 중 한 명으로 알려져 있다.

VS

□□ 178

be known for

~으로 유명하다

be(~이다) + known(알려진!) + for(~으로) = 어떤 특징으로 알려져 유명하다

Ko Samui **is known for** its beautiful beaches. (교과서)

코사무이는 그곳의 아름다운 해변들로 유명하다.

➕ be well known for ~으로 명성이 높다, ~으로 잘 알려지다

서술형 만점 표현

□□ 179

have been + 과거분사

~되어 왔다, ~된 적이 있다

The statue **has been called** the best artwork of history.

그 조각상은 역사상 최고의 예술품으로 일컬어져 왔다.

➕ have been + 현재분사 ~해오고 있다

Plus+	'have been + 과거분사'는 현재완료의 수동태로, 과거에서 현재까지 당했던 적이 있거나 당해 온 일을 나타낼 때 사용하며, 'have been + 현재분사'는 현재완료의 진행형으로, 과거에서 현재까지 진행해오고 있는 일을 나타낼 때 사용해요. These days, I**'ve been** taking ballet classes. 최근에, 나는 발레 수업을 들어오고 있다.

□□ 180

Have + 주어 + (ever) + 과거분사 ~?

(지금껏) ~해 본 적이 있니?

Have you ever spoken in public? (교과서)

너는 지금껏 사람들 앞에서 연설해 본 적이 있니?

Plus+	과거에서부터 현재까지의 경험을 물을 때에는, 현재완료 시제의 의문문 'Have + 주어 + (ever) + 과거분사 ~?'의 형태로 질문해요.

Daily Test

[01~08] 영어는 우리말로, 우리말은 영어로 쓰세요.

01 bring in _____   05 막 ~하려 하다 _____

02 dress up _____   06 전시 중인, 진열된 _____

03 put on _____   07 ~으로(서) 알려지다 _____

04 be sorry for _____   08 (여행을) 시작하다 _____

[09~12] 빈칸에 알맞은 표현을 <보기>에서 한 번씩 골라 쓰세요. (필요하다면, 형태도 올바르게 고치세요.)

<보기>	drop by	hold on	hang out with	escape from

09 We _____ the bull by jumping the fence.
우리는 울타리를 뛰어넘어서 그 황소에게서 달아났다.

10 Sam _____ his friends at the park.
Sam은 공원에서 그의 친구들과 어울려 다닌다.

11 People _____ the café for a quick coffee.
사람들은 빠르게 커피 한잔을 하기 위해 그 카페에 잠깐 들른다.

12 Please _____ while I check the list.
제가 목록을 확인하는 동안 기다려 주세요.

[13~15] 문장에서 틀린 부분을 찾아 바르게 고치세요.

13 They lost the game from one point.   _____ → _____
그들은 그 경기에서 1점 차이로 졌다.

14 Australia is known to its wild animals.   _____ → _____
호주는 그곳의 야생 동물들로 유명하다.

15 If you take a message, I'll deliver it.   _____ → _____
메시지를 남기시면, 제가 그것을 전달할게요.

[16~18] 빈칸에 올바른 표현을 써서 문장을 완성하세요.

16 Although we are brothers, we _____ nothing _____.
우리는 형제임에도 불구하고, 아무것도 공통점으로 갖고 있지 않다.

17 We can _____ from other people.
우리는 다른 사람들로부터 감기에 걸릴 수 있다.

18 Jieun didn't _____ push her friend in the game.
지은이는 경기에서 자신의 친구를 밀칠 의도는 아니었다.

[19~20] 서술형 만점 표현과 주어진 표의 내용을 활용하여 대화를 완성하세요.

Your Experiences	Yes/No
1) write a blog post	Yes
2) travel to another country	Yes
3) bake cookies	No

19 A: Have you ever written something online?
   B: A blog post _____ by me.

20 A: Have you ever _____?
   B: No, I haven't.

DAY 10

음성 바로 듣기

☐☐ 181
be filled with

~으로 가득 차다 ㉿ be full of

be(~이다) + filled(가득 찬) + with(~으로) = 어떤 요소나 내용물로 가득 차다

The street **is filled with** many houses. (교과서)
그 거리는 많은 주택들로 가득 차 있다.

☐☐ 182
break into

(건물에) 침입하다

break(부수다) + into(~ 안으로) = 문을 부수고 건물 안으로 들어가다

The police believed I was **breaking into** this family's house. (교과서)
경찰은 내가 이 가족의 집에 침입하고 있었다고 생각했다.

☐☐ 183
catch the train

기차를 잡아타다

catch(잡다) + the train(기차) = 시간 맞추어 기차를 잡아타다

If you leave home late, you won't **catch the train**. (교과서)
만약 네가 집에서 늦게 출발한다면, 기차를 잡아타지 못할 거야.

➕ catch the bus 버스를 잡아타다

☐☐ 184
day after day

매일, 날마다

day(하루) + after(~ 뒤에) + day(하루) = 하루 뒤에 오는 또 다른 하루에도, 즉, 매일

Day after day, we go to school and come back home. (교과서)
매일, 우리는 학교에 갔다가 집으로 돌아온다.

☐☐ 185
enjoy oneself

즐거운 시간을 보내다 ㉿ have fun

enjoy(즐기다) + oneself(자기 자신) = 자기 자신을 즐기며 시간을 보내다

I **enjoyed myself** very much at the beach. (교과서)
나는 그 해변에서 무척 즐거운 시간을 보냈다.

☐☐ 186

ever since

~ 이후로 줄곧

ever(줄곧) + since(~ 이후로) = 어떤 시점 이후로 줄곧

Ever since then, Italians have enjoyed eating pasta. (교과서)

그때 이후로 줄곧, 이탈리아인들은 파스타를 먹는 것을 즐겨 왔다.

☐☐ 187

happen to

(일이) ~에게 일어나다

happen(일어나다) + to(~에게) = 일이 누군가에게 일어나다

Don't be upset. It **happens to** everyone. (교과서)

속상해하지 말아요. 그런 일은 모두에게 일어나요.

☐☐ 188

have fun

재미있게 놀다, 즐기다 ⓢ enjoy oneself

have(갖다) + fun(재미) = 재미를 가지며 놀다

I hope you **have fun** at the party.

나는 네가 그 파티에서 재미있게 놀기를 바라.

☐☐ 189

in a hurry

서두르는, 바쁜, 급한

in(~의 상태에 있는) + a hurry(서두름) = 서두름의 상태에 있는

He was **in a hurry** this morning, so he couldn't have breakfast.

그는 오늘 아침에 바빠서, 아침 식사를 할 수 없었다.

☐☐ 190

keep track of

1. ~을 추적하다, ~의 진로를 쫓다

keep(그대로 두다) + track(자취) + of(~의) = 어떤 것의 자취를 그대로 두며 추적하다

You need a map to **keep track of** where you are. (교과서)

당신이 어디에 있는지를 추적하기 위해 당신에게는 지도가 필요하다.

➕ lose track of ~을 놓치다, ~을 잊어버리다

2. ~을 기록하다

keep(보존하다) + track(흔적) + of(~의) = 어떤 것의 흔적을 보존하기 위해 기록하다

A stopwatch **keeps track of** each runner's time. (교과서)

스톱워치는 각 주자의 시간을 기록한다.

□□ 191

leave A behind

A를 남겨 두다, A를 놓고 오다

leave(~을 남기다) + A + behind(뒤에) = 뒤에 A를 남기다

Take all the items and **leave** nothing **behind**.

모든 물품들을 가져가시고 아무것도 남겨 두지 마세요.

□□ 192

on average

평균적으로, 보통

on(~으로) + average(평균) = 평균으로

On average, it is about 477°C on Venus. 교과서

평균적으로, 금성은 약 섭씨 477도이다.

□□ 193

participate in

~에 참가하다, ~에 참여하다 🈯 take part in

participate(참가하다) + in(~에) = 모임이나 행사에 참가하다

Logan and his dad **participated in** their first marathon. 교과서

Logan과 그의 아빠는 그들의 첫 마라톤에 참가했다.

□□ 194

put down

1. (들고 있던 것을) 내려 두다 🈪 pick up

put(두다) + down(아래에) = 들고 있던 것을 아래에 두다

The lady **put** her baby **down**. 교과서

그 여자는 자신의 아기를 내려 두었다.

2. (보고 들은 것을) 받아 적다 🈯 write down

put(두다) + down(아래에) = 보고 들은 내용을 아래 노트에 옮겨 두다

He **put down** the wrong phone number. 교과서

그는 잘못된 전화번호를 받아 적었다.

□□ 195

run out of

~이 다 떨어지다 🈯 be out of

run(달리다) + out(다 떨어진) + of(~이) = 달리던 차의 연료가 결국 다 떨어지다

I **ran out of** milk. 교과서

나는 우유가 다 떨어졌다.

□□ 196

settle in

~에 정착하다, ~에 적응하다

settle(자리를 잡다) + in(~에) = 어떤 장소에 자리를 잡고 정착하다

Every year, about 500,000 new legal immigrants **settle in** my country.

매년, 약 50만 명의 새로운 합법적 이민자들이 우리나라에 정착한다.

헷갈리는 함정 숙어

□□ 197

for sale

판매되는, 판매 중인

for(~을 위해) + sale(판매) = 판매를 위해 내놓은

Hamburgers and sodas will be available **for sale.**

햄버거와 탄산음료가 판매되어 구입하실 수 있을 거예요.

VS

□□ 198

on sale

할인되는, 세일 중인

on(계속 ~하는) + sale(할인 판매) = 계속 할인 판매하는

This camera was $400, but it's **on sale** now for 15% off.

이 카메라는 400달러였지만, 지금은 15퍼센트 세일 중이다.

서술형 만점 표현

□□ 199

have to + 동사원형

~해야 한다 ㈬ must/should + 동사원형

He **has to** stay home alone today. (교과서)

그는 오늘 혼자 집에 있어야 한다.

Plus+ 해야 할 일을 나타내는 'have to+동사원형'은 조동사 must나 should처럼 '의무'를 나타내지만, 부정형인 'don't have to+동사원형'은 '~하지 않아도 된다'라는 의미의 '불필요'를 나타내요.
You **don't have to** buy me a gift. 넌 내게 선물을 사주지 않아도 돼.

□□ 200

would like to + 동사원형

~하고 싶다 ㈬ want to + 동사원형

I **would like to** introduce our new band member, Evan. (교과서)

저는 우리의 새로운 밴드 멤버인 Evan을 소개하고 싶어요.

Plus+ 'would like to+동사원형'과 'want to+동사원형' 모두 하고 싶은 일을 나타내지만, would like가 want보다 조금 더 공손하고 부드러운 표현이에요.

DAY 10

해커스 보카 중학 숙어

DAY 10 67

Daily Test

[01~08] 영어는 우리말로, 우리말은 영어로 쓰세요.

01 catch the train _____   05 매일, 날마다   _____

02 put down _____   06 ~ 이후로 줄곧   _____

03 in a hurry _____   07 A를 남겨 두다   _____

04 have fun _____   08 ~에 정착하다   _____

[09~12] 빈칸에 알맞은 표현을 <보기>에서 한 번씩 골라 쓰세요. (필요하다면, 형태도 올바르게 고치세요.)

<보기>	participate in	keep track of	break into	run out of

09 The thief _____ the history museum.
그 도둑은 역사박물관에 침입했다.

10 Henry _____ his meetings in his journal.
Henry는 일지에 자신의 회의들을 기록한다.

11 I want to _____ the art class.
나는 그 미술 수업에 참여하기를 원한다.

12 The restaurant _____ vegetables.
그 식당은 야채가 다 떨어졌다.

[13~15] 문장에서 틀린 부분을 찾아 바르게 고치세요.

13 The shopping mall is filled of big stores.   _____ → _____
그 쇼핑몰은 대형 상점들로 가득 차 있다.

14 These speakers are not on sale.   _____ → _____
이 스피커들은 판매되지 않습니다.

15 A red wolf weighs around 25kg in average.   _____ → _____
붉은 늑대는 평균적으로 약 25킬로그램이 나간다.

[16~18] 빈칸에 올바른 표현을 써서 문장을 완성하세요.

16 Many people _____ at the beach in summer.

많은 사람들이 여름에 해변에서 즐거운 시간을 보낸다.

17 Bad things can _____ people who lie.

거짓말을 하는 사람들에게는 나쁜 일이 일어날 수 있다.

18 All men's shoes are _____ today and tomorrow.

모든 남성용 신발들은 오늘과 내일 할인됩니다.

[19~20] 서술형 만점 표현과 주어진 단어들을 활용하여, 초대장의 빈칸을 완성하세요.

To Hansol,

I'm going to have a birthday party at my house this Saturday, and I **19** _____

_____ you to my party. I won't accept birthday gifts, so you

20 _____ anything to the party. Please tell me if

you can come.

Dabin

19 _____ (invite)

20 _____ (bring)

01 기차를 잡아타다　02 (들고 있던 것을) 내려 두다, (보고 들은 것을) 받아 적다　03 서두르는, 바쁜, 급한　04 재미있게 놀다, 즐기다　05 day after day
06 ever since　07 leave A behind　08 settle in　09 broke into　10 keeps track of　11 participate in　12 ran out of　13 of → with　14 on → for
15 in → on　16 enjoy themselves　17 happen to　18 on sale　19 would like to invite　20 don't have to bring

[19~20 해석]

한솔이에게,

나는 이번 주 토요일에 우리 집에서 생일 파티를 열 예정이고, 너를 내 파티에 초대하고 싶어. 나는 생일 선물을 받지 않을 거라서, 너는 파티에 아무것도 가져오지 않아도
돼. 네가 올 수 있는지 내게 알려 줘.

다빈이가

DAY 11

음성 바로 듣기

☐☐ 201
be going to + 동사원형

~할 것이다, ~할 예정이다 ㈜ will + 동사원형

be going(가고 있다) + to+동사원형(~하는 것) = ~하는 것을 향해 가고 있다

What are you going to do this winter holiday?

이번 겨울 방학에 너는 무엇을 할 예정이니?

☐☐ 202
begin with

~으로 시작하다 ㈜ start with

begin(시작하다) + with(~으로) = 특정한 것으로 시작하다

An animal whose name **begins with** K is the koala. 교과서

이름이 K로 시작하는 한 가지 동물은 코알라이다.

☐☐ 203
cannot afford to + 동사원형

~할 여유가 없다

cannot afford(여유가 없다) + to+동사원형(~하는 것) = ~하는 것에 여유가 없다

We **cannot afford to** buy a new car.

우리는 새 차를 구입할 여유가 없다.

☐☐ 204
cut out

~을 잘라내다

cut(자르다) + out(밖으로) = 종이 밖으로 똑 떨어져 나가도록 무언가를 잘라내다

Cut out a circle along the line.

선을 따라 원을 잘라내세요.

☐☐ 205
every time

~할 때마다 ㈜ each time

every(모든) + time(때) = 어떤 것을 하는 모든 때마다

Every time I'm stressed out, I play computer games. 교과서

나는 스트레스를 받을 때마다, 컴퓨터 게임을 한다.

□□ 206
fail to + 동사원형

~하는 데 실패하다, ~하지 못하다

fail(실패하다) + to+동사원형(~하는 것) = ~하는 것에 실패하다

Ben **failed to** reach his goal, but he didn't give up.
Ben은 자신의 목표를 달성하는 데 실패했지만, 그는 포기하지 않았다.

➕ fail in ~에(서) 실패하다

□□ 207
go through

(행동·절차 등을) 거치다, 겪다

go(가다) + through(~을 통과해서) = 행동이나 절차를 거쳐 통과해서 가다

You don't have to **go through** the process of printing out tickets. 교과서
당신은 티켓을 출력하는 과정을 거치지 않아도 됩니다.

□□ 208
hand in

(과제물·낼 것을) 제출하다, 내다 ⓨ turn in

hand(건네다) + in(~ 안으로) = 과제물이나 낼 것을 제출함 안으로 건네다

You must **hand in** your homework by tomorrow. 교과서
당신은 내일까지 반드시 당신의 숙제를 제출해야 해요.

□□ 209
in advance

미리, 사전에

in(~의 상태에 있는) + advance(앞선) = 다른 것보다 앞선 상태에서 미리

Students can sign up for the class **in advance**.
학생들은 미리 그 수업에 등록할 수 있다.

□□ 210
keep A in mind

A를 기억하다, A를 명심하다

keep(~을 두다) + A + in(~ 안에) + mind(마음) = A를 마음 안에 두고 기억하다

Thanks, I'll **keep** your advice **in mind**. 교과서
감사해요. 당신의 충고를 명심할게요.

➕ have A in mind A를 염두에 두다, A에 관해 생각하고 있다

keep one's fingers crossed

행운을 빌(어 주)다

keep(두다) + one's(자신의) + fingers(손가락) + crossed(교차된)
= 자신의 두 손가락을 십자로 교차되도록 두어 상대방의 행운을 빌어 주다

You'll do well. I'll keep my fingers crossed. (교과서)
너는 잘할 거야. 내가 행운을 빌어 줄게.

Plus+ | keep one's fingers crossed는 과거 서양에서 양손의 중지를 검지 위에 올려 십자 모양으로 교차시키며 상대방에게 행운을 빌어 주던 풍습에서 유래된 표현이에요.

no wonder (that)

(~한 것은) 놀랄 일이 아닌, (~한 것은) 당연한

no(~하지 않은) + wonder(놀라다) + that(~한 것) = ~한 것이 놀랍지 않은

It is no wonder he's successful. He's very smart.
그가 성공한 것은 놀랄 일이 아니다. 그는 매우 똑똑하다.

pay attention to

~에(게) 주목하다, ~에(게) 주의를 기울이다 ⊕ give attention to

pay(주다) + attention(주목) + to(~에) = 어떤 것에 주목이나 관심을 주다

The audience paid attention to his words. (교과서)
청중은 그의 말에 주의를 기울였다.

➕ attract attention from ~의 주목을 끌다, ~의 주의를 끌다

side by side

나란히

side(옆면) + by(~ 옆에) + side(옆면) = 무언가의 옆면 옆에 또 옆면이 있게 나란히

Some birds sleep side by side in rows.
몇 마리의 새들이 줄지어서 나란히 잠을 잔다.

slow down

(속도·진행을) 늦추다, 느려지다 ⊕ speed up

slow(늦추다) + down(아래로) = 속도나 진행을 아래로 늦추다

Electric cars can help slow down global warming. (교과서)
전기 차는 지구 온난화를 늦추는 것을 도울 수 있다.

□□ 216
take a break

(잠시) 휴식을 취하다 ⓨ have a break, take a rest

take(갖다) + a break(쉬는 시간) = 잠시 쉬는 시간을 갖다

Let's **take a break** after we complete this job. (교과서)
우리 이 일을 끝내고 나서 잠시 휴식을 취하자.

헷갈리는 함정 숙어

□□ 217
care about

~에 대해 신경 쓰다, ~에 대해 걱정하다 ⓨ be concerned about

care(신경 쓰다) + about(~에 대해) = 무언가에 대해 신경 쓰다

You are a good listener and **care about** other people's feelings. (교과서)
당신은 남의 말에 귀 기울여 주는 사람이며 다른 사람들의 감정에 대해 신경 씁니다.

VS

□□ 218
care for

~를 보살피다, ~를 좋아하다 ⓨ look after, take care of

care(보살피다) + for(~를) = 누군가를 보살피다

The organization **cares for** people who need help.
그 단체는 도움을 필요로 하는 사람들을 보살핀다.

서술형 만점 표현

□□ 219
had better + 동사원형

~하는 것이 좋다, ~하는 것이 낫다

You'd **better go** to the dentist right away.
당신은 지금 당장 치과에 가는 것이 좋겠어요.

Plus+ '~하는 것이 좋다, ~하는 것이 낫다'라는 의미의 강한 충고를 나타내는 'had better + 동사원형'의 부정형은 'had better not + 동사원형'으로 나타내며, '~하지 않는 것이 낫다, ~하지 않는 것이 좋다'라는 의미로 쓰여요.
You'd **better not run** near the street. 당신은 도로 근처에서 뛰지 않는 것이 좋다.

□□ 220
would rather + 동사원형 (+ than)

(-하기보다는) 차라리 ~하겠다

I **would rather go** outside **than** stay home.
나는 집에 있기보다는 차라리 밖에 나가겠다.

Plus+ 두 가지 행동 중 더 선호하는 행동을 나타내는 'would rather + 동사원형 (+ than)'은, 더 선호하는 행동을 than 앞에, 덜 선호하는 행동을 than 뒤에 써서 나타내요.

Daily Test

[01~08] 영어는 우리말로, 우리말은 영어로 쓰세요.

01 begin with _____

02 every time _____

03 fail to + 동사원형 _____

04 side by side _____

05 ~할 예정이다 _____

06 (행동·절차 등을) 겪다 _____

07 (잠시) 휴식을 취하다 _____

08 ~에 대해 신경 쓰다 _____

[09~12] 빈칸에 알맞은 표현을 <보기>에서 한 번씩 골라 쓰세요. (필요하다면, 형태도 올바르게 고치세요.)

<보기>	slow down	hand in	cut out	pay attention to

09 We _____ squares from the paper.
우리는 종이에서 정사각형들을 잘라냈다.

10 Students must _____ their teacher in class.
학생들은 수업에서 그들의 선생님에게 주목해야 한다.

11 Bags of sand can _____ floodwaters.
모래 자루들은 홍수로 범람한 물의 속도를 늦출 수 있다.

12 The family will _____ their keys to the hotel.
그 가족은 그들의 열쇠를 호텔에 낼 것이다.

[13~15] 문장에서 틀린 부분을 찾아 바르게 고치세요.

13 Annie cares of the cats by giving them food. _____ → _____
Annie는 고양이들에게 먹이를 주며 그들을 보살핀다.

14 Please keep your fingers crossing for me! _____ → _____
나를 위해서 행운을 빌어 줘!

15 Buy tickets on advance for popular concerts. _____ → _____
인기 있는 콘서트를 위해서는 미리 티켓을 구매하라.

[16~18] 빈칸에 올바른 표현을 써서 문장을 완성하세요.

16 We _____ to travel right now.

우리는 지금 당장 여행할 여유가 없다.

17 It's _____ I feel sick after my trip to the jungle.

정글로의 여행 이후에 내가 아픈 것은 놀랄 일이 아니다.

18 He _____ his father's advice _____ .

그는 그의 아버지의 조언을 명심했다.

[19~20] 서술형 만점 표현을 활용하여 대화의 빈칸에 알맞은 표현을 쓰세요.

19 A: It's very cold outside.

B: You _____ wear this coat. It will keep you warm.

20 A: Would you like tea or coffee?

B: I _____ have some tea. If I drink coffee, I can't sleep well.

DAY 12

음성 바로 듣기

□□ 221

be interested in
~에 관심이 있다

be(~이다) + interested(관심이 있는) + in(~에) = 어떤 분야에 관심이 있다

Are you **interested in** Vietnamese culture? 교과서
당신은 베트남 문화에 관심이 있나요?

□□ 222

be worth -ing
~할 가치가 있다, ~할 만하다

be(~이다) + worth(가치가 있는) + -ing(~하는 것) = ~하는 것에 가치가 있다

Barcelona is a city that **is worth** visit**ing**.
바르셀로나는 방문할 가치가 있는 도시이다.

□□ 223

by the time
~할 때쯤에는, ~할 때까지는

by(~쯤에는) + the time(때) = 무언가를 할 때쯤에는

We had finished lunch **by the time** he arrived.
그가 도착했을 때쯤에는 우리가 점심 식사를 마쳤었다.

□□ 224

cut down on
~을 절감하다, ~을 줄이다

cut(깎다) + down(낮아져) + on(~에 대해) = 수량이나 비용에 대해 낮아지도록 깎다

I think you should **cut down on** junk food. 교과서
저는 당신이 불량 식품을 줄여야 한다고 생각해요.

□□ 225

expect to + 동사원형
~할 것으로 예상하다

expect(예상하다) + to+동사원형(~하는 것) = ~하는 것을 예상하다

I didn't **expect to** see you here.
저는 당신을 여기서 볼 것으로 예상하지 못했어요.

➕ expect A to + 동사원형 A가 ~할 것으로 예상하다

□□ 226

fall into

~으로 떨어지다, ~에 빠지다

fall(떨어지다) + into(~ 안으로) = 어떤 곳 안으로 떨어져서 빠지다

She saw someone fall into the river.
그녀는 어떤 사람이 강에 빠지는 것을 보았다.

□□ 227

give A a ride

A를 (차로) 태워 주다

give(제공하다) + A + a ride(탈 것) = A에게 탈 것을 제공하다

I wonder if your mom can give us a ride.
나는 너희 어머니께서 우리를 태워 주실 수 있을지 궁금하다.

□□ 228

go back (to)

(~로) 돌아가다 ⊕ return (to)

go(가다) + back(다시) + to(~으로) = 원래 있던 곳으로 다시 가다

The deer went back to the forest. 교과서
그 사슴은 숲으로 돌아갔다.

□□ 229

go to bed

자다, 잠들다 ⊕ go to sleep

go(가다) + to(~으로) + bed(침대) = 침대로 가서 잠을 자다

Wendy listens to music before she goes to bed. 교과서
Wendy는 자기 전에 음악을 듣는다.

➕ get out of bed (잠자리에서) 일어나다

□□ 230

in case of

~의 경우에는, ~ (발생) 시에는

in(~에) + case(경우) + of(~인) = 무엇인 경우에는

In case of rain, some events may be cancelled.
비가 올 경우에는, 일부 행사들이 취소될 수도 있다.

➕ in case (that) ~할 경우에는, ~할 경우에 대비해서

☐☐ 231

keep one's eyes on

~에서 눈을 떼지 않다, ~을 주시하다

keep(두다) + one's(자신의) + eyes(눈) + on(~에) = 자신의 눈을 무언가에 계속 두다

He **keeps his eyes on** the phone's screen all day. (교과서)
그는 하루 종일 휴대폰 화면에서 눈을 떼지 않는다.

☐☐ 232

most of

~의 대부분 ⓨ the majority of

most(대부분) + of(~의) = 어떤 것의 대부분

Most of the Arctic is covered with ice and snow.
북극의 대부분은 얼음과 눈으로 덮여 있다.

☐☐ 233

move around

(여기저기) 돌아다니다

move(이동하다) + around(주변에) = 주변을 여기저기 이동해가며 돌아다니다

You should not **move around** the airplane freely.
당신은 비행기에서 마음대로 여기저기 돌아다녀서는 안 됩니다.

☐☐ 234

pay for

~에 (돈을) 내다, ~에 (값·대가를) 지불하다

pay(지불하다) + for(~에 대해) = 무언가에 대해 돈이나 값을 지불하다

How much did you **pay for** this service? (교과서)
당신은 이 서비스에 얼마의 돈을 내셨나요?

☐☐ 235

stand for

~을 의미하다, ~을 상징하다

stand(서 있다) + for(~을 위해) = 의미를 나타내기 위해 상징적으로 우뚝 서 있다

ASAP **stands for** as soon as possible. (교과서)
ASAP는 '가능한 한 빨리(as soon as possible)'를 의미한다.

☐☐ 236

stare at

~를 쏘아보다, ~을 응시하다

stare(노려보다) + at(~에 대해) = 누군가에 대해 노려보거나 응시하다

She said nothing but **stared at** me coldly.
그녀는 아무 말도 하지 않았지만 차갑게 나를 쏘아보았다.

헷갈리는 함정 숙어

□□ 237

go out

1. (밖에) 나가다, 외출하다 반 stay in

go(가다) + out(밖에) = 밖에 나가다

Somi is so sick that she can't go out. 교과서

소미는 너무 아파서 밖에 나갈 수 없다.

2. (불·전기가) 나가다 유 go off

go(가다) + out(다 떨어진) = 불이나 전기가 다 떨어진 상태로 가다

The electricity went out in the middle of the night.

한밤중에 전기가 나갔다.

VS

□□ 238

go off

1. (알람·경보가) 울리다

go(가다) + off(벗어나) = 알람이나 경보 소리가 멀리 벗어나 가서 울리다

He woke up when the alarm went off.

그는 알람이 울렸을 때 일어났다.

2. (불·전기가) 나가다 유 go out

go(가다) + off(끝까지) = 불이나 전기의 수명이 끝까지 다한 상태로 가다

Suddenly, the power went off.

갑자기, 전기가 나갔다.

서술형 만점 표현

□□ 239

may as well + 동사원형

~하는 편이 좋(겠)다

We may as well eat before our plane leaves.

우리는 비행기가 출발하기 전에 식사하는 편이 좋겠다.

Plus+ | 'may as well + 동사원형'은 어쩔 수 없는 상황에서 그나마 가장 선호하는 것을 나타내기 위해 쓰는 조동사 표현이에요.

□□ 240

used to + 동사원형

(한때는) ~이었다, ~하곤 했다

My dad used to be a chef in a restaurant. 교과서

우리 아빠는 한때는 식당의 요리사셨다.

Plus+ | 'used to+동사원형'은 과거의 습관적 행동과 상태를 모두 나타낼 수 있는 반면, 같은 의미의 조동사 표현 'would + 동사원형'은 과거의 습관적 행동만 나타낼 수 있어요.
My dad would be a chef in a restaurant. (X)

Daily Test

[01~08] 영어는 우리말로, 우리말은 영어로 쓰세요.

01 be worth -ing _____

02 fall into _____

03 go to bed _____

04 move around _____

05 ~할 것으로 예상하다 _____

06 (~로) 돌아가다 _____

07 ~의 대부분 _____

08 ~를 쏘아보다 _____

[09~12] 빈칸에 알맞은 표현을 <보기>에서 한 번씩 골라 쓰세요. (필요하다면, 형태도 올바르게 고치세요.)

<보기>	pay for	cut down on	stand for	be interested in

09 Lots of people _____ learning another language.
많은 사람들이 다른 언어를 배우는 것에 관심이 있다.

10 Hannah will _____ sugar for her health.
Hannah는 그녀의 건강을 위해 설탕을 줄일 것이다.

11 I _____ this car with my own money.
나는 내 돈으로 이 차에 값을 지불했다.

12 LOL _____ laugh out loud.
LOL은 '큰 소리로 웃다(laugh out loud)'를 의미한다.

[13~15] 문장에서 틀린 부분을 찾아 바르게 고치세요.

13 The soccer player kept his eyes to the ball. _____ → _____
그 축구 선수는 공에서 눈을 떼지 않았다.

14 It had started raining in the time we left. _____ → _____
우리가 떠날 때쯤에는 비가 내리기 시작했었다.

15 The fire alarm goes out when there's smoke. _____ → _____
연기가 나면 화재 경보가 울린다.

[16~18] 빈칸에 올바른 표현을 써서 문장을 완성하세요.

16 He _____ the travelers _____ for free.

그는 무료로 그 여행객들을 태워 주었다.

17 _____ fire, exit the building using the stairs.

화재 발생 시에는, 계단을 이용해서 건물을 나가세요.

18 I can't _____ until I finish my paper.

나는 내 논문을 완성할 때까지 외출할 수 없다.

[19~20] 서술형 만점 표현을 활용하여, 하니와 태민이의 말을 완성하세요.

19

> There is nothing fun to do, and Hani doesn't have enthusiasm to do anything. Hani is thinking about going to bed.

→ Hani: I _____ _____ _____ _____ to bed.

20

> When Taemin was young, he played video games a lot, but he doesn't play them as often now.

→ Taemin: I _____ _____ _____ video games a lot.

DAY 12

해커스 보카 중학 숙어

DAY 13

☐☐ 241

be proud of

~을 자랑스러워 하다 ㈜ feel proud of, take pride in

be(~이다) + proud(자랑스러운) + of(~에 대해) = 어떤 대상에 대해 자랑스러워 하다

Haerin **was proud of** her dance performance. (교과서)
해린이는 자신의 댄스 공연을 자랑스러워 했다.

☐☐ 242

be similar to

~과 유사하다, ~과 비슷하다

be(~이다) + similar(유사성이 있는) + to(~에) = 다른 무언가에 유사성이 있다

The sand in this desert **is similar to** the sand in the
Sahara. (교과서)
이 사막의 모래는 사하라 사막의 모래와 유사하다.

☐☐ 243

be tired of

~에 질리다, ~에 싫증이 나다 ㈜ be sick of

be(~이다) + tired(질린) + of(~에 대해) = 어떤 대상에 대해 질리다

I'm tired of listening to the same song.
나는 똑같은 노래를 듣는 것에 싫증이 난다.

Plus+ | 형용사 tired와 sick은 각각 '피곤한, 지친', '아픈, 병든'이라는 뜻으로 자주 쓰이지만, 뒤에 of가 올 경우에는 '질린, 싫증 난'이라는 뜻으로 쓰여요.

☐☐ 244

by now

지금쯤은 (이미), 이제 ㈜ at this point

by(~쯤에는) + now(지금) = 지금쯤에는

I'm afraid the flower shop is closed **by now**.
나는 지금쯤은 이미 꽃집이 문을 닫았을까 봐 걱정된다.

□□ 245

cut down

1. ~을 베다, ~을 쓰러뜨리다, ~을 깎다

cut(베다) + down(아래로) = 나무 등을 베서 아래로 쓰러뜨리다

Some people cut down trees to make roads.
몇몇 사람들이 도로를 만들기 위해 나무를 베었다.

2. ~을 줄이다, ~을 삭감하다

cut(깎다) + down(아래로) = 기존의 정도나 양을 깎아 아래로 줄이다

Are you interested in cutting down on your spending? (교과서)
당신은 당신의 소비를 줄이는 것에 관심이 있나요?

□□ 246

face to face

(직접) 대면하여, 마주 보고

face(얼굴) + to(~을 향해) + face(얼굴) = 얼굴이 다른 얼굴을 향해 직접 대면하여

The business leaders met face to face.
그 사업주들은 직접 대면하여 만났다.

□□ 247

feed on

~을 먹고 살다 ⑨ live on

feed(먹이를 먹다) + on(~으로) = 특정 음식으로 먹이를 먹고 살다

Humans can feed on both vegetables and meat.
인간은 채소와 고기를 모두 먹고 살 수 있다.

□□ 248

give birth (to)

(아이를) 낳다, 출산하다

give(주다) + birth(탄생) + to(~에게) = 아이에게 탄생을 주다

With the doctor's help, the cow gave birth to a baby. (교과서)
의사의 도움으로, 그 소는 새끼 한 마리를 낳았다.

□□ 249

go straight

똑바로 가다, 직진하다

go(가다) + straight(똑바로) = 똑바로 가다

Go straight for one block and turn right. (교과서)
한 블록 직진해서 오른쪽으로 도세요.

DAY 13

해커스 보카 중학 숙어

□□ 250

in charge of

~을 책임지고 있는, ~을 담당하고 있는

in(~의 상태에 있는) + charge(책임) + of(~에 대해) = 어떤 일에 대해 책임 상태에 있는

He was **in charge of** making the class newspaper. (교과서)

그는 학급 신문을 제작하는 것을 담당하고 있었다.

□□ 251

keep away from

~을 멀리하다 ⑪ keep close to

keep(두다) + away(멀리) + from(~으로부터) = 무언가로부터 자신을 멀리 두다

The baby birds **kept away from** the cat.

아기 새들은 그 고양이를 멀리했다.

□□ 252

none of

~ 중 아무(것)도 -않는 ⑪ all of

none(아무것도 ~ 않는) + of(~ 중에) = 전체 중에 아무것도 해당하지 않는

None of her bags matched the new jacket. (교과서)

그녀의 가방들 중 아무것도 새 재킷과 어울리지 않았다.

□□ 253

pick out

~을 골라내다, ~을 뽑다

pick(고르다) + out(밖으로) = 특정한 것을 밖으로 골라내다

I'm **picking out** the bad apples. (교과서)

저는 품질이 나쁜 사과들을 골라내고 있어요.

□□ 254

stop by

(~에) 잠깐 들르다 ⑨ drop by

stop(멈추다) + by(~ 근처에) = 방문을 위해 근처에 잠깐 멈춰서 들르다

I'll **stop by** your house tomorrow.

내가 내일 너희 집에 잠깐 들를게.

□□ 255

succeed in

~에(서) 성공하다 ⑪ fail in

succeed(성공하다) + in(~에서) = 특정 영역이나 분야에서 성공하다

If you try your best, you will **succeed in** your career. (교과서)

당신이 최선을 다하면, 당신은 직장에서 성공할 것입니다.

□□ 256

take a rest

휴식하다, 쉬다 ⓨ get some rest, take a break

take(갖다) + a rest(휴식) = 휴식을 가지며 쉬다

Sit down and take a rest.

앉아서 쉬세요.

헷갈리는 함정 숙어

□□ 257

go well

(일·계획이) 순조롭게 진행되다, 잘 되다 ⓐ go wrong

go(진행되다) + well(잘) = 목표대로 일이나 계획이 잘 진행되다

I hope the speech goes well.

저는 그 연설이 순조롭게 진행되길 바라요.

VS

□□ 258

go well with

~과 잘 어울리다, ~과 잘 맞다

go(진행되다) + well(잘) + with(~과 함께) = 무언가와 함께 어울려서 잘 진행되다

This sandwich goes well with coffee.

이 샌드위치는 커피와 잘 어울린다.

서술형 만점 표현

□□ 259

must have
+ 과거분사

~했음에 틀림없다

The driver must have forgotten to turn off the headlights.

그 운전자는 헤드라이트를 끄는 것을 잊었음에 틀림없다.

Plus+ | 조동사 must(~임에 틀림없다)가 포함된 관용 표현 'must have + 과거분사(p.p.)'는 과거에 일어난 일에 대한 강한 추측이나 확신을 표현할 때 사용해요.

□□ 260

should have
+ 과거분사

~했어야 했다

Nayeon should have been more careful. 교과서

나연이는 더 조심했어야 했다.

Plus+ | 조동사 should(~해야 한다)가 포함된 관용 표현 'should have + 과거분사(p.p.)'는 과거에 했어야 했는데 하지 못한 일에 대한 후회나 유감을 표현할 때 사용해요.

Daily Test

[01~08] 영어는 우리말로, 우리말은 영어로 쓰세요.

01 by now _____

02 cut down _____

03 go straight _____

04 none of _____

05 ~을 먹고 살다 _____

06 (아이를) 낳다, 출산하다 _____

07 ~에(서) 성공하다 _____

08 (일·계획이) 잘 되다 _____

[09~12] 빈칸에 알맞은 표현을 <보기>에서 한 번씩 골라 쓰세요. (필요하다면, 형태도 올바르게 고치세요.)

<보기>	keep away from	in charge of	stop by	be tired of

09 You should _____ him.

당신은 그를 멀리 해야 해요.

10 I _____ eating salad.

나는 샐러드를 먹는 것에 싫증이 난다.

11 Please _____ my office after 3 p.m.

오후 3시 이후에 제 사무실에 잠깐 들러 주세요.

12 Ms. Tice is _____ 5th graders in this school.

Ms. Tice는 이 학교에서 5학년 학생들을 담당하고 있다.

[13~15] 문장에서 틀린 부분을 찾아 바르게 고치세요.

13 My dad was proud in my English grades. _____ → _____

아빠는 내 영어 성적을 자랑스러워하셨다.

14 This beach is similar with one in Portugal. _____ → _____

이 해변은 포르투갈의 한 해변과 유사하다.

15 This black skirt goes well to your red blouse. _____ → _____

이 검정 치마가 네 빨간 블라우스와 잘 어울려.

[16~18] 빈칸에 올바른 표현을 써서 문장을 완성하세요.

16 The friends have never met _____.
그 친구들은 직접 대면하여 만난 적이 한 번도 없었다.

17 She was _____ the weeds from the garden.
그녀는 정원에서 잡초를 뽑고 있었다.

18 Let's _____ under that tree.
우리 저 나무 밑에서 쉬자.

[19~20] 서술형 만점 표현과 주어진 단어들을 활용하여, Betty와 Simon의 말을 완성하세요.

19
> Last night, Betty watched TV until 2 a.m. So, she got up very late this morning. She hurried to school, but she was late.

Betty: I _____ last night. (go to bed, earlier)

20
> Simon took the bus, and he fell asleep for a while. When he got off the bus, he noticed his cell phone wasn't in his hand.

Simon: I _____ on the bus. (leave, my cell phone)

01 지금쯤은 (이미), 이제   02 ~을 베다, ~을 쓰러뜨리다, ~을 깎다, ~을 줄이다, ~을 삭감하다   03 똑바로 가다, 직진하다   04 ~ 중 아무(것)도 –않는   05 feed on
06 give birth (to)   07 succeed in   08 go well   09 keep away from   10 am tired of   11 stop by   12 in charge of   13 in → of   14 with → to
15 to → with   16 face to face   17 picking out   18 take a rest   19 should have gone to bed earlier   20 must have left my cell phone

[19~20 해석]
19 어젯밤에, Betty는 새벽 2시까지 TV를 보았다. 그래서, 그녀는 오늘 아침에 매우 늦게 일어났다. 그녀는 학교로 서둘러 갔지만, 지각했다.
　Betty: 나는 어젯밤에 더 일찍 잤어야 했어.
20 Simon은 버스를 탔고, 잠깐 잠이 들었다. 그가 버스에서 내렸을 때, 그는 그의 휴대폰이 손에 없다는 것을 알아차렸다.
　Simon: 나는 내 휴대폰을 버스에 두고 내렸음에 틀림없어.

음성 바로 듣기

☐☐ 261

be surprised by

~에 깜짝 놀라다 ㉠ be surprised at

be(~이다) + surprised(깜짝 놀란) + by(~에 의해) = 무언가에 의해 깜짝 놀라다

I was surprised by our team's victory.

나는 우리 팀의 승리에 깜짝 놀랐다.

☐☐ 262

be thankful for

~에 대해 감사하다, ~을 감사히 여기다

be(~이다) + thankful(감사하는) + for(~에 대해) = 무언가에 대해 감사하다

I am thankful for everything I have.

나는 내가 가진 모든 것을 감사히 여긴다.

☐☐ 263

block out

~을 차단하다, ~을 가리다

block(막다) + out(없어진) = 무언가를 완전히 막아서 없애다

Close the curtains to **block out** the light. 교과서

빛을 차단하기 위해 커튼을 쳐.

☐☐ 264

by no means

결코 ~이 아닌, 결코 ~하지 않은

by(~으로) + no(어떤 ~도 아닌) + means(수단) = 어떤 수단으로도 결코 아닌

Korea is **by no means** a small country.

한국은 결코 작은 나라가 아니다.

☐☐ 265

contribute to

~에 공헌하다, ~에 기여하다

contribute(공헌하다) + to(~에) = 어떤 것의 성공이나 발전에 공헌하다

Nelson Mandela did something to **contribute to** the country. 교과서

넬슨 만델라는 국가에 기여하기 위한 일을 했다.

□□ 266

(every) now and then

가끔씩, 때때로 ㈜ from time to time

every(~마다) + now(지금) + and(~과) + then(그때)
= 과거의 그때와 지금 사이의 기간마다 가끔씩

Every now and then, words of wisdom have a great impact. (교과서)

때때로, 명언은 엄청난 영향력을 갖는다.

□□ 267

fall behind

뒤떨어지다, 늦어지다

fall(떨어지다) + behind(뒤에) = 실력, 속도나 일정 등이 뒤떨어지다

He studied hard not to **fall behind** at school.

그는 학교에서 뒤떨어지지 않기 위해 열심히 공부했다.

□□ 268

feel better

기분이 나아지다, 몸을 회복하다

feel(기분이 들다) + better(더 나은) = 더 나은 기분이 들다

A good night's sleep makes you **feel better**. (교과서)

밤에 잘 자는 것은 당신이 몸을 회복하게 한다.

➕ get better (질병·상황이) 더 나아지다

□□ 269

give A a hand

A를 도와주다, A를 거들어주다

give(주다) + A + a hand(손) = A에게 손을 내밀어 도와주다

Your bag looks heavy. Can I **give** you **a hand**? (교과서)

당신의 가방이 무거워 보여요. 제가 당신을 도와드릴까요?

➕ give A a big hand A에게 큰 박수를 보내다

□□ 270

go by

(시간이) 지나가다, 흐르다 ㈜ pass by

go(가다) + by(~ 옆에) = 진행되는 일 옆에 시간도 함께 지나가다

Time **went by**, but nothing happened. (교과서)

시간이 흘렀지만, 아무 일도 일어나지 않았다.

□□ 271
in contrast

대조적으로, 반대로

in(~의 상태에 있는) + contrast(대조) = 대조되는 상태에 있는

I have black hair. **In contrast,** Liz has blonde hair.

나는 검은 머리를 가지고 있다. 대조적으로, Liz는 금발 머리를 가지고 있다.

□□ 272
just like

꼭 ~처럼, 꼭 ~ 같은

just(딱) + like(~처럼) = 딱 무엇처럼

I like cooking, **just like** my mom. (교과서)

나는 꼭 우리 엄마처럼, 요리하는 것을 좋아한다.

□□ 273
make sure (that)

~을 확실하게 하다, 반드시 ~하도록 하다 ⑨ be sure (that)

make(만들다) + sure(확실한) + that(~하는 것) = ~하는 것을 확실한 것으로 만들다

Make sure you don't waste much money. (교과서)

반드시 많은 돈을 낭비하지 않도록 하세요.

□□ 274
protect A from B

B로부터 A를 보호하다 ⑨ protect A against B

protect(~를 보호하다) + A + from(~으로부터) + B = A를 B로부터 보호하다

There are many ways to **protect** yourself **from** disease. (교과서)

질병으로부터 스스로를 보호할 수 있는 많은 방법들이 있다.

□□ 275
take off

1. (옷·신발·모자 등을) 벗다 ⑪ put on

take(가져가다) + off(벗어나) = 착용하던 것을 몸에서 벗어나도록 가져가다

Take off your shoes before you come in. (교과서)

들어오시기 전에 신발을 벗어주세요.

2. (비행기가) 이륙하다 ⑪ land

take(데려가다) + off(벗어나) = 비행기가 승객을 땅에서 벗어나도록 데려가다

The plane will **take off** soon.

비행기가 곧 이륙할 것입니다.

□□ 276

take part in

~에 참여하다, ~에 가담하다 ㈌ participate in

take(갖다) + part(역할) + in(~에) = 행사나 일에 참여해서 역할을 갖다

Many teams of dogs **take part in** the sled dog race. (교과서)

개들로 구성된 여러 팀들이 개 썰매 경주에 참여한다.

헷갈리는 함정 숙어

□□ 277

hear about

~에 대해 듣다 ㈌ hear of

hear(듣다) + about(~에 대해) = 주제나 이야깃거리에 대해 듣다

I can't wait to **hear about** your last trip! (교과서)

저는 당신의 지난 여행에 대해 듣는 것이 너무 기대돼요!

VS

□□ 278

hear from

~에게서 소식을 듣다, ~에게서 연락을 받다

hear(듣다) + from(~로부터) = 누군가로부터 소식 등을 듣다

I hope to **hear from** you soon. (교과서)

제가 곧 당신에게서 소식을 듣게 되기를 바랍니다.

서술형 만점 표현

□□ 279

be happy to + 동사원형

~하게 되어(서) 기쁘다, ~하게 되어(서) 행복하다

I'm **happy to** help you.

널 도와주게 되어서 기뻐.

Plus+ '~하게 되어서 (감정이) -하다'라는 의미를 표현할 때는, 'be + 감정 형용사 + to+동사원형'의 형태로 나타낼 수 있어요. 참고로, 감정 형용사에는 happy, sorry, glad, pleased, surprised, disappointed 등이 있어요.
I'm sorry to bother you. 널 귀찮게 해서 미안해.

□□ 280

decide to + 동사원형

~하기로 결정하다, ~하기로 결심하다

They **decided to** live in the country later in life.

그들은 노후에 시골에서 살기로 결정했다.

Plus+ 미래에 하기로 한 일을 나타내는 동사 decide, plan, expect, choose 등은 'to+동사원형'을 목적어로 취해요.
They planned to go skiing this winter. 그들은 이번 겨울에 스키를 타러 가기로 계획했다.

Daily Test

[01~08] 영어는 우리말로, 우리말은 영어로 쓰세요.

01 be thankful for _____

02 feel better _____

03 block out _____

04 take off _____

05 ~에 깜짝 놀라다 _____

06 ~에 기여하다 _____

07 ~에 참여하다 _____

08 ~에 대해 듣다 _____

[09~12] 빈칸에 알맞은 표현을 <보기>에서 한 번씩 골라 쓰세요. (필요하다면, 형태도 올바르게 고치세요.)

<보기>	just like	by no means	every now and then	in contrast

09 Seoul is _____ a boring city.
서울은 결코 지루한 도시가 아니다.

10 I'm tall _____ my brother.
나는 꼭 나의 형처럼 키가 크다.

11 Renee prefers tea. _____, Josh loves coffee.
Renee는 차를 좋아한다. 반대로, Josh는 커피를 매우 좋아한다.

12 The family goes out for dinner _____.
그 가족은 가끔씩 저녁에 외식을 하러 나간다.

[13~15] 문장에서 틀린 부분을 찾아 바르게 고치세요.

13 The student made behind in history class. _____ → _____
그 학생은 역사 수업에서 뒤떨어졌다.

14 A hat protects your face of the sunlight. _____ → _____
모자는 햇빛으로부터 당신의 얼굴을 보호한다.

15 Minha hears to her grandmother once a week. _____ → _____
민하는 일주일에 한 번씩 그녀의 할머니에게서 소식을 듣는다.

[16~18] 빈칸에 올바른 표현을 써서 문장을 완성하세요.

16 Can you _____ me _____ with homework?

숙제에 대해 나를 도와줄 수 있니?

17 Minutes _____, but there was no phone call.

몇 분이 지났지만, 전화는 한 통도 오지 않았다.

18 _____ you wear sunscreen.

반드시 선크림을 바르도록 해라.

[19~20] 서술형 만점 표현과 주어진 단어들을 활용하여, 우리말 뜻에 맞도록 다음 글을 완성하세요.

> I've looked forward to having a pet since I was five. As I started middle school, **19** 우리 가족은 강아지 한 마리를 데려오기로 결정했다. The puppy was a beagle, and we named him Max. He welcomes me at the door every time I get home. **20** 나는 Max와 함께 살게 되어서 행복하다.

19 우리 가족은 강아지 한 마리를 데려오기로 결정했다.

→ my family _____. (decide, get a puppy)

20 나는 Max와 함께 살게 되어서 행복하다.

→ I _____ with Max. (happy, live)

01 ~에 대해 감사하다, ~을 감사히 여기다 02 기분이 나아지다, 몸을 회복하다 03 ~을 차단하다, ~을 가리다 04 (옷·신발·모자 등을) 벗다, (비행기가) 이륙하다
05 be surprised by 06 contribute to 07 take part in 08 hear about 09 by no means 10 just like 11 In contrast 12 every now and then
13 made → fell 14 of → from 15 to → from 16 give, a hand 17 went by 18 Make sure 또는 Make sure that 19 decided to get a puppy
20 am happy to live

[19~20 해석]
나는 다섯 살 때부터 반려동물을 기르는 것을 기대해왔다. 내가 중학교에 들어가면서, **19** 우리 가족은 강아지 한 마리를 데려오기로 결정했다. 그 강아지는 비글이었고, 우리는 그를 Max라고 이름 지었다. 그는 내가 집에 올 때마다 문에서 나를 반겨준다. **20** 나는 Max와 함께 살게 되어서 행복하다.

DAY 15

음성 바로 듣기

☐☐ 281

be stuck in

~에 갇히다, ~에 끼어서 움직일 수 없다 ㈜ be caught in

be(~이다) + stuck(갇힌) + in(~에) = 어떤 장소나 상황에 갇히다

Daniel's foot is stuck in a hole. 교과서
Daniel의 발이 구멍에 끼어서 움직일 수 없다.

☐☐ 282

by nature

선천적으로, 본래

by(~에 의해) + nature(자연) = 자연적으로 타고난 본성에 의해

She is courteous by nature.
그녀는 본래 예의가 바르다.

☐☐ 283

come to an end

끝나다

come(오다) + to(~으로) + an end(끝) = 진행되던 것이 끝으로 오다

The movie came to an end around 10 p.m.
그 영화는 밤 10시쯤에 끝났다.

☐☐ 284

come true

사실이 되다, 실현되다 ㈜ come to pass

come(~이 되다) + true(사실) = 바라던 일이 사실이 되다

I think my dream will come true.
나는 내 꿈이 실현될 것이라고 생각한다.

☐☐ 285

feel down

(기분이) 우울하다, 낙담하다 ㈜ feel sad

feel(기분이 들다) + down(낮아져) = 행복감이 낮아져 우울한 기분이 들다

Whenever he felt down, his friends encouraged him.
그가 우울할 때마다, 그의 친구들이 그를 격려해주었다.

➕ look down (기분이) 우울해 보이다

□□ 286
for example

예를 들면, 예를 들어 ⊛ for instance

for(~에 대해) + example(예시) = 예시에 대해 말하자면

Using your phone too much, for example, texting a lot, causes neck pain. 교과서

휴대폰을 너무 많이 사용하는 것, 예를 들어, 문자를 많이 보내는 것은, 목 통증을 유발한다.

□□ 287
get up

(잠 등에서) 일어나다 ⊛ wake up

get(~하게 되다) + up(위로) = 잠에서 일어나 몸을 위로 일으키게 되다

If I get up early, I will go for a run. 교과서

내가 일찍 일어나면, 나는 달리기를 하러 갈 거야.

□□ 288
give it a try

한 번 해 보다, 시도하다

give(주다) + it(그것) + a try(한 번의 시도) = 그것에 한 번의 시도를 줘 보다

Why don't you give it a try? 교과서

한 번 해 보는 게 어때?

□□ 289
how often

얼마나 자주 (~하는지)

how(얼마나) + often(자주) = 얼마나 자주

How often do you go to baseball games?

당신은 얼마나 자주 야구 경기에 가시나요?

Plus+ 의문사 how는 보통 '어떻게'라는 뜻으로 해석되지만, 'how + 형용사/부사'의 형태로 쓰일 경우, how는 '얼마나 ~한/얼마나 ~하게'로 해석돼요.
How many people were at the party? 그 파티에는 얼마나 많은 사람들이 있었나요?
How far is it? 그것은 얼마나 멀리 있나요?

□□ 290
in danger

위험에 처한, 위기에 처한

in(~의 상태에 있는) + danger(위험) = 위험한 상태에 있는

I think that the Earth is in danger. 교과서

나는 지구가 위기에 처해 있다고 생각한다.

□□ 291

It is no use -ing

~하는 것은 소용없다

It is(~이다) + no use(소용없는) + -ing(~하는 것) = ~하는 것은 소용없다

It is no use crying over spilt milk.

엎질러진 우유를 두고 우는 것은 소용없다. (이미 엎질러진 물이다.)

□□ 292

make oneself at home

편하게 쉬다 ⊛ feel at home

make(만들다) + oneself(스스로) + at(~에) + home(집)
= 스스로를 집에 있는 것처럼 편하게 만들다

Please **make yourself at home**.

편하게 쉬세요.

□□ 293

now that

(이제) ~이니까, ~이기 때문에

now(이제) + that(~하는 것) = 이제 ~하는 것이니까

Now that I keep a monthly budget, I spend less money.

이제 제가 월별 예산을 지키니까, 더 적은 돈을 써요.

□□ 294

pull out

~을 뽑아내다, ~을 끌어내다

pull(당기다) + out(밖으로) = 무언가를 당겨서 밖으로 뽑다

I **pulled out** the plug of the cellphone charger. 교과서

나는 휴대폰 충전기의 플러그를 뽑아냈다.

□□ 295

take action

행동을 취하다, 조치를 취하다

take(취하다) + action(행동) = 적절한 행동을 취하다

We should **take action** to solve air pollution.

우리는 대기 오염을 해결하기 위해 조치를 취해야 한다.

□□ 296

take it easy

마음을 편히 갖다, 쉬엄쉬엄하다

take(받아들이다) + it(그것) + easy(편한) = 주어진 그것을 마음 편하게 받아들이다

Take it easy. We have lots of time.

마음을 편히 가져. 우리에게는 많은 시간이 있어.

헷갈리는 함정 숙어

□□ 297

look up

1. ~을 올려다보다

look(보다) + up(위로) = 무언가를 위로 올려다보다

Look up at the sky. There are a lot of stars. (교과서)
하늘을 올려다봐. 많은 별들이 있어.

2. ~을 찾아보다, ~을 검색하다

look(보다) + up(완전히) = 정보 등을 완전히 뒤져서 찾아보다

Look up the meanings of words in your dictionary. (교과서)
당신의 사전에서 단어들의 뜻을 찾아보세요.

VS

□□ 298

look up to

~를 존경하다 (반) look down on

look(보다) + up(위로) + to(~에 대해) = 누군가에 대해 위로 우러러보다

A lot of people **look up to** Messi because of his soccer skills.
많은 사람들이 메시의 축구 실력 때문에 그를 존경한다.

서술형 만점 표현

□□ 299

seem to + 동사원형

~하게 보이다, ~한 것 같다

You **seem to** be very busy these days. (교과서)
너 요즘 정말 바빠 보여.

➕ seem like ~처럼 보이다

Plus+ ┃ 'seem to+동사원형'은 아래와 같이 'It seems that 주어 + 동사 ~' 구문으로 바꾸어
┃ 표현할 수 있어요.
┃ He **seems to** have a flu. 그는 독감에 걸린 것 같다.
┃ = **It seems that** he has a flu.

□□ 300

It's time to + 동사원형

~할 시간이다, ~할 때이다

Yuri, **it's time to** have lunch.
유리야, 점심 식사를 할 시간이야.

Plus+ ┃ '~의 시간이다, ~을 위한 때이다'는 'It's time for + 명사'의 형태로 나타낼 수 있어요.
┃ **It's time for** lunch. 점심 식사 시간이야.

Daily Test

[01~08] 영어는 우리말로, 우리말은 영어로 쓰세요.

01 be stuck in _____

02 come true _____

03 feel down _____

04 pull out _____

05 끝나다 _____

06 ~을 찾아보다 _____

07 위험에 처한 _____

08 편하게 쉬다 _____

[09~12] 빈칸에 알맞은 표현을 <보기>에서 한 번씩 골라 쓰세요. (필요하다면, 형태도 올바르게 고치세요.)

<보기>	now that	how often	for example	by nature

09 Sheep are peaceful _____.
양들은 선천적으로 온화하다.

10 There are many planets in space. _____, their is Jupiter.
우주에는 여러 행성들이 있다. 예를 들어, 목성이 있다.

11 _____ does the team practice?
그 팀은 얼마나 자주 연습하니?

12 _____ it's summer, I have free time.
이제 여름이기 때문에, 나에게는 자유 시간이 있다.

[13~15] 문장에서 틀린 부분을 찾아 바르게 고치세요.

13 Make it easy and don't be stressed out.　　　_____ → _____
마음을 편히 갖고 스트레스 받지 마.

14 We need to get action.　　　_____ → _____
우리는 조치를 취해야 한다.

15 Lots of people look up their parents.　　　_____ → _____
많은 사람들이 자신의 부모님을 존경한다.

[16~18] 빈칸에 올바른 표현을 써서 문장을 완성하세요.

16 Don't be scared. Just _____!

겁먹지 마. 그냥 한 번 해 봐!

17 I usually _____ at seven in the morning.

나는 보통 아침 7시에 일어난다.

18 It is _____ the past.

과거를 후회하는 것은 소용없어.

[19~20] 서술형 만점 표현과 주어진 단어들을 활용하여 우리말 뜻에 맞도록 다음 두 문장을 완성하세요.

19 Greg는 화가 난 것처럼 보여. (angry)

= Greg seems to _____.

= It seems that _____.

20 저녁 식사(를 할) 시간이야. (dinner)

= It's time to _____.

= It's time for _____.

DAY 16

음성 바로 듣기

□□ 301

be sold out

품절되다, 매진되다

be(~이다) + sold(판매된) + out(다 떨어진) = 제품이 전부 판매되어 다 떨어지다

Sorry, the shoes **are** all **sold out.**

죄송하지만, 그 신발은 전부 품절되었어요.

□□ 302

be sorry about

~에 대해 유감이다, ~에 대해 미안하다 ㉙ feel sorry about

be(~이다) + sorry(유감인) + about(~에 대해) = 어떤 일에 대해 유감이다

I'm sorry about your son's illness. 교과서

당신의 아드님의 병에 대해 유감입니다.

➊ be[feel] sorry that ~이라는 사실에 대해 유감이다, ~이라는 사실에 대해 미안하다

□□ 303

by hand

(사람의) 손으로, 자필로

by(~에 의해) + hand(손) = 사람의 손에 의해

I borrowed an essay and copied it **by hand.**

나는 수필 한 권을 빌려서 그것을 손으로 베껴 썼다.

□□ 304

come over (to)

(~로) 건너오다, (~에) 들르다 ㉙ come by

come(오다) + over(너머에) + to(~으로) = 자기 공간 너머의 다른 곳으로 건너오다

Could you **come over to** my office now?

지금 제 사무실에 들르실 수 있나요?

□□ 305

far (away) from

~에서 멀리 (떨어져) 있는 ㉙ close to

far(멀리) + away(떨어져) + from(~에서) = 어떤 곳에서 멀리 떨어져 있는

The hospital was **far away from** the subway station.

그 병원은 지하철역에서 멀리 떨어져 있었다.

□□ 306

fight for

~을 (얻기) 위해 싸우다

fight(싸우다) + for(~을 위해) = 어떤 목적을 위해 싸우다

Many people fought for freedom.
많은 사람들이 자유를 얻기 위해 싸웠다.

➕ fight against ~에 맞서 싸우다

□□ 307

get along with

~와 잘 지내다, ~와 어울리다

get(~하게 되다) + along(함께) + with(~와) = 누군가와 함께 잘 지내게 되다

Cats don't usually get along well with dogs. (교과서)
고양이들은 대개 강아지들과 잘 지내지 못한다.

□□ 308

get together

(함께) 모이다 ⊛ gather

get(~하게 되다) + together(함께) = 여러 사람이 함께 모이게 되다

The close friends will get together for the party. (교과서)
그 친한 친구들은 파티를 위해 모일 것이다.

□□ 309

in favor of

~에 찬성하여

in(~의 상태에 있는) + favor(찬성) + of(~에 대해) = 사안에 대해 찬성 상태에 있는

They were in favor of my opinion.
그들은 내 의견에 찬성했다.

□□ 310

inform A of B

A에게 B에 대해 알리다 ⊛ inform A about B

inform(~에게 알리다) + A + of(~에 대해) + B = A에게 B에 대해 알리다

I'd like to inform you of how to get counseling.
제가 당신께 상담 받는 방법에 대해 알려드리겠습니다.

□□ 311

make money

돈을 벌다, 재산을 모으다

make(만들다) + money(돈) = 돈을 만들어 벌다

She **makes money** and travels around the world. 교과서

그녀는 돈을 벌어서 전 세계를 여행한다.

□□ 312

on and on

계속해서, 쉬지 않고

on(계속 ~하는) + and(그리고) + on(계속 ~하는) = 어떤 일을 계속하고 또 계속하는

The conversation went **on and on**.

대화가 계속해서 이어졌다.

□□ 313

right now

지금(은), 당장 ㉠ right away, at the moment

right(바로) + now(지금) = 바로 지금은

Sorry, but all the seats are full **right now**.

죄송하지만, 지금은 모든 좌석이 차 있어요.

□□ 314

take place

(행사가) 개최되다, (일이) 일어나다 ㉠ happen

take(갖다) + place(장소) = 행사나 일이 일어날 장소를 갖고 개최되다

The singing competition will **take place** on March 27.

그 노래 경연 대회는 3월 27일에 개최될 것이다.

➕ take place of ~을 대신하다, ~의 뒤를 잇다

□□ 315

the rest of

(~의) 나머지

the rest(나머지) + of(~의) = 어떤 것의 나머지

From tomorrow, it'll be cloudy for **the rest of** this week.

내일부터, 이번 주의 나머지 요일 동안은 흐릴 것입니다.

□□ 316

work with

~와 함께 일하다

work(일하다) + with(~와 함께) = 누군가와 함께 일하다

Ms. Brown once **worked with** famous designers.

Ms. Brown은 한때 유명한 디자이너들과 함께 일했다.

헷갈리는 함정 숙어

□□ 317

put off

(시간·날짜를) 미루다, 연기하다 ㉤ delay

put(두다) + off(벗어나) = 해야 할 일을 예정된 날짜에서 벗어나게 두어 미루다

It rained hard, so we **put off** the race. 교과서

비가 많이 와서, 우리는 그 경기를 미뤘다.

VS

□□ 318

put out

1. (불을) 끄다

put(두다) + out(없어진) = 불씨가 꺼져 없어진 상태로 두다

It's not easy to **put out** a large fire.

큰불을 끄는 것은 쉽지 않다.

2. (밖에) 내놓다 ㉤ take out

put(놓다) + out(밖에) = 무언가를 밖에 내다 놓다

Junho didn't know where to **put out** his trash.

준호는 쓰레기를 어디에 내놓아야 할지 몰랐다.

서술형 만점 표현

□□ 319

too - to + 동사원형

너무 -해서 ~할 수 없다 ㉤ so - that ~ can't

People in the village were **too** poor **to** pay for rent. 교과서

그 마을의 사람들은 너무 가난해서 집세를 지불할 수 없었다.

Plus+ | 'too + 형용사/부사 + to+동사원형'은 'so + 형용사/부사 + that + 주어 + can't + 동사원형'의 형태로 바꾸어 쓸 수 있어요.
It's **too** cold **to** go swimming. 너무 추워서 수영하러 갈 수 없다.
= It's **so** cold **that** I **can't** go swimming.

□□ 320

enough to + 동사원형

~할 정도로 (충분히) -하다 ㉤ so - that ~ can

She was kind **enough to** share her lunch with me. 교과서

그녀는 자신의 점심을 내게 나눠줄 정도로 친절했다.

Plus+ | '형용사/부사 + enough + to+동사원형'은 'so + 형용사/부사 + that + 주어 + can + 동사원형'의 형태로 바꾸어 쓸 수 있어요.
My bag is big **enough to** hold 10 books. 내 가방은 10권의 책을 담을 정도로 크다.
= My bag is **so** big **that** it **can** hold 10 books.

Daily Test

[01~08] 영어는 우리말로, 우리말은 영어로 쓰세요.

01 come over (to) _____

05 (시간·날짜를) 미루다 _____

02 be sorry about _____

06 품절되다, 매진되다 _____

03 get along with _____

07 돈을 벌다 _____

04 the rest of _____

08 지금(은), 당장 _____

[09~12] 빈칸에 알맞은 표현을 <보기>에서 한 번씩 골라 쓰세요. (필요하다면, 형태도 올바르게 고치세요.)

<보기>	get together	take place	in favor of	far away from

09 I'm _____ ordering a pizza.
나는 피자를 주문하는 것에 찬성해.

10 The bus stop is _____ the mall.
그 버스 정류장은 쇼핑몰에서 멀리 떨어져 있다.

11 Let's _____ for a cup of coffee.
커피 한잔하러 모이자.

12 The charity event _____ in Times Square.
그 자선 행사는 타임스 스퀘어에서 개최된다.

[13~15] 문장에서 틀린 부분을 찾아 바르게 고치세요.

13 We put off the fire with a wet blanket. _____ → _____
우리는 젖은 담요로 불을 껐다.

14 They keep fighting against justice. _____ → _____
그들은 정의를 위해 계속해서 싸운다.

15 The book informs readers in space travel. _____ → _____
그 책은 독자들에게 우주여행에 대해 알려준다.

[16~18] 빈칸에 올바른 표현을 써서 문장을 완성하세요.

16 I like to write a letter _____.

나는 손으로 편지 쓰는 것을 좋아한다.

17 Kevin _____ professional athletes.

Kevin은 프로 운동선수들과 함께 일한다.

18 The speech kept going _____.

연설은 쉬지 않고 계속해서 이어졌다.

[19~20] 서술형 만점 표현을 활용하여, 주어진 문장과 동일한 의미가 되도록 빈칸을 완성하세요.

19 Yesterday, Hyunmin was so sick that he couldn't go to school.

= Yesterday, Hyunmin was _____ to school.

20 My family's weekend farm is so close that we can visit often.

= My family's weekend farm is _____ often.

DAY 17

음성 바로 듣기

□□ 321
be short of
~이 부족하다, ~이 못 미치다
be(~이다) + short(부족한) + of(~에서) = 정도나 양에서 부족하다

If your body **is short of** sleep, your brain releases a stress hormone.
당신의 몸에 수면이 부족하면, 당신의 뇌는 스트레스 호르몬을 방출합니다.

□□ 322
by accident
사고로, 뜻밖에, 우연히
by(~에 의해) + accident(사고) = 뜻밖의 사고에 의해

Jimmy hurt his arm **by accident**.
Jimmy는 사고로 그의 팔을 다쳤다.

➕ by mistake 실수로, 잘못해서

□□ 323
come back
돌아오다
come(오다) + back(다시) = 있던 곳으로 다시 오다

Let's leave on May 5th and **come back** on May 8th.
5월 5일에 출발해서 5월 8일에 돌아오자.

□□ 324
feel like -ing
~할 기분이 나다, ~하고 싶다
feel(기분이 나다) + like(~와 같은) + -ing(~하는 것) = ~할 것 같은 기분이 나다

I **feel like** going on a picnic today.
나는 오늘 소풍을 가고 싶다.

➕ feel like (that) ~인 것처럼 느껴지다, ~인 것 같다

□□ 325
fill A with B
A를 B로 (가득) 채우다
fill(~을 채우다) + A + with(~으로) + B = A를 B로 가득 채우다

He started to **fill** the cup **with** water. 교과서
그는 그 컵을 물로 채우기 시작했다.

□□ 326

for some time

한동안, 당분간

for(~ 동안) + some(약간의) + time(시간) = 약간의 시간 동안

My brother has been looking for a job **for some time.** (교과서)

우리 형은 한동안 일자리를 구해오고 있다.

□□ 327

from A to B

1. (시간) A부터 B까지

from(~부터) + A + to(~까지) + B = A부터 B까지

From Thursday **to** Sunday, it will be cold and windy.

목요일부터 일요일까지, 춥고 바람이 불 것이다.

2. (장소) A에서 B로, A에서 B까지

from(~에서) + A + to(~으로) + B = A에서 B로

Let's take a taxi **from** the airport **to** the hotel.

공항에서 호텔까지 택시를 타자.

□□ 328

from now on

지금부터, 앞으로 (쭉)

from(~부터) + now(지금) + on(계속 ~하는) = 지금부터 계속 ~하는

We should use both sides of the paper **from now on.** (교과서)

우리는 앞으로 종이의 양면을 모두 사용해야 한다.

□□ 329

in other words

다시 말해서, 즉

in(~의 형태로) + other(다른) + words(말) = 다른 말의 형태로 다시 말하면

He didn't come back to the office. **In other words,** he quit his job.

그는 사무실로 돌아오지 않았다. 다시 말해서, 그는 일을 그만두었다.

□□ 330

in surprise

(깜짝) 놀라서 ㊤ with surprise

in(~의 상태에 있는) + surprise(놀람) = 놀람의 상태에 있는

The children looked at their dad **in surprise.** (교과서)

아이들은 깜짝 놀라서 그들의 아빠를 바라보았다.

□□ 331

make an effort

노력하다, 애쓰다 ㈜ put an effort

make(만들다) + an effort(노력) = 노력을 만들어 내다

I'll **make an effort** to come home by eight o'clock.
나는 8시까지 집에 오기 위해 노력할 것이다.

□□ 332

on fire

불타는, 불이 난

on(계속 ~하는) + fire(불) = 계속 불이 나고 있는

The house was **on fire**, but everyone escaped.
그 집에 불이 났지만, 모든 사람이 빠져나왔다.

□□ 333

say hello to

~에게 안부를 전해 주다, ~에게 인사말을 건네다

say(전하다) + hello(인사) + to(~에게) = 누군가에게 안부 인사를 전하다

Say hello to your teacher.
너희 선생님께 안부를 전해 주렴.

➕ say goodbye to ~에게 작별 인사를 하다

□□ 334

talk about

~에 대해 말하다 ㈜ talk of

talk(말하다) + about(~에 대해) = 어떤 주제나 이야깃거리에 대해 말하다

The director will **talk about** his new film. (교과서)
그 감독은 자신의 새 영화에 대해 말할 것이다.

□□ 335

think up

~을 생각해 내다

think(생각하다) + up(나타나) = 생각해서 결국 좋은 아이디어를 나타나게 하다

Mr. Lim **thought up** a plan to give his wife a gift. (교과서)
Mr. Lim은 아내에게 선물을 줄 계획을 생각해 냈다.

□□ 336

work as

~으로(서) 일하다

work(일하다) + as(~으로서) = 특정 직업 또는 직책으로서 일하다

I used to **work as** a writer.
나는 작가로 일하곤 했다.

헷갈리는 함정 숙어

□□ 337

make up

1. ~을 구성하다, ~을 차지하다, ~을 이루다

make(만들다) + up(완전히) = 무언가를 완전하게 만들어 구성하다

The brain **makes up** only two percent of a person's body weight.
뇌는 사람의 체중에서 단 2퍼센트만을 차지한다.

2. (이야기를) 지어내다

make(만들다) + up(완전히) = 사실이 아닌 이야기를 완전히 새로 만들어 내다

Some people **make up** fake news.
어떤 사람들은 가짜 뉴스를 지어낸다.

VS

□□ 338

make up for

~을 보충하다, ~을 보상하다, ~을 만회하다

make(만들다) + up(완전히) + for(~에 대해)
= 완전하게 만들기 위해 무언가에 대해 보충하다

Caffeine can't fully **make up for** lack of sleep.
카페인은 수면 부족을 완전히 보충할 수 없다.

서술형 만점 표현

□□ 339

It be 형용사＋for A＋ to＋동사원형

~하는 것은 A에게 -하다

It's difficult for me to bake bread.
빵을 굽는 것은 나에게 어렵다.

Plus+ | to부정사(to+동사원형)가 포함된 문장에서, 문장의 주어와 to부정사의 행위 주체가 다를 때는, 일반적으로 to부정사 앞에 'to부정사의 의미상 주어'로 'for + 목적격'의 형태를 써요.

□□ 340

It be 형용사＋of A＋ to＋동사원형

A가 ~하다니 -하다

It's nice of you to pick me up.
당신이 저를 태우러 오다니 친절하시군요.

Plus+ | to부정사(to+동사원형)가 포함된 문장에서, 문장의 주어와 to부정사의 행위 주체가 다르고, to부정사 앞에 사람의 성격이나 태도를 나타내는 형용사(nice, kind 등)가 온 경우, 'to부정사의 의미상 주어'로 'of + 목적격'의 형태를 써요.

Daily Test

[01~08] 영어는 우리말로, 우리말은 영어로 쓰세요.

01 come back _____

02 feel like -ing _____

03 make an effort _____

04 talk about _____

05 ~이 부족하다 _____

06 다시 말해서, 즉 _____

07 불이 난, 불타는 _____

08 ~에게 안부를 전해 주다 _____

[09~12] 빈칸에 알맞은 표현을 <보기>에서 한 번씩 골라 쓰세요. (필요하다면, 형태도 올바르게 고치세요.)

<보기>	for some time	by accident	from now on	in surprise

09 Don't throw away plastic bottles here _____.
지금부터 여기에 플라스틱병을 버리지 마세요.

10 My parents looked at the huge mess _____.
나의 부모님은 깜짝 놀라서 그 엄청난 난장판을 바라보았다.

11 This house has been for sale _____.
이 집은 한동안 판매 중이었다.

12 I dropped the cup _____.
나는 우연히 그 컵을 떨어뜨렸다.

[13~15] 문장에서 틀린 부분을 찾아 바르게 고치세요.

13 He works for a doctor. _____ → _____
그는 의사로 일한다.

14 Marie's hard work made up with her mistake. _____ → _____
Marie의 노력은 그녀의 실수를 만회했다.

15 Think over some activities for this weekend. _____ → _____
이번 주말에 할 몇 가지 활동들을 생각해 내 봐.

[16~18] 빈칸에 올바른 표현을 써서 문장을 완성하세요.

16 _____ January _____ February, it's very cold.

1월부터 2월까지는, 매우 춥다.

17 _____ the glass _____ orange juice.

그 유리잔을 오렌지 주스로 가득 채워라.

18 Water _____ around 60 percent of the human body.

물은 인체의 약 60퍼센트를 구성한다.

[19~20] 서술형 만점 표현을 활용하여, 어법상 어색한 두 곳을 찾아 바르게 고치세요.

It was so nice for you to plan our family trip to Hawaii. There were a lot of things we could do there. We really enjoyed windsurfing, scuba diving, and so on. It was especially fun of us to go parasailing for the first time. It was such an unforgettable trip!

19 _____ → _____

20 _____ → _____

01 돌아오다 02 ~할 기분이 나다, ~하고 싶다 03 노력하다, 애쓰다 04 ~에 대해 말하다 05 be short of 06 in other words 07 on fire 08 say hello to 09 from now on 10 in surprise 11 for some time 12 by accident 13 for → as 14 with → for 15 over → up 16 From, to 17 Fill, with 18 makes up 19 nice for you → nice of you 20 fun of us → fun for us

[19~20 해석]

당신이 저희 가족의 하와이 여행을 계획해주시다니 정말 친절하셨어요. 그곳에는 저희가 할 수 있는 많은 것들이 있었습니다. 저희는 윈드서핑, 스쿠버다이빙 등을 아주 즐겼습니다. 처음으로 패러세일링을 한 것은 저희에게 특히 재미있었어요. 그것은 정말 잊지 못할 여행이었습니다!

DAY 18

음성 바로 듣기

□□ 341
be late for

~에 늦다, ~에 지각하다

be(~이다) + late(늦은) + for(~에 대해) = 정해진 일정에 대해 늦다

Hurry up! You'll **be late for** the party.
서둘러요! 당신은 그 파티에 늦을 거예요.

□□ 342
burst into tears

울음을 터뜨리다 ㉤ break into tears

burst(터뜨리다) + into(~으로) + tears(눈물) = 마음속 감정을 눈물로 터뜨리다

She **burst into tears** when she saw her family.
그녀는 자신의 가족을 보았을 때 울음을 터뜨렸다.

□□ 343
check out

1. (책 등을) 빌리다, 대출하다

check(확인하다) + out(밖으로) = 확인을 거쳐 빌릴 책을 밖으로 가져가다

You can **check out** novels from the library. 교과서
당신은 도서관에서 소설을 빌릴 수 있습니다.

2. (호텔·객실 등에서) 나가다, 퇴실하다

check(확인하다) + out(밖으로) = 호텔 등에서 숙박한 후 확인을 거쳐 밖으로 나가다

I have to **check out** of my room by 11 a.m.
나는 나의 객실에서 오전 11시까지 퇴실해야 한다.

□□ 344
fit in with

~와 잘 어울리다, ~와 잘 지내다

fit(꼭 맞다) + in(~에서) + with(~와) = 사람들과의 관계에서 어긋나지 않고 꼭 맞다

The new student **fits in with** her classmates well.
새로 온 학생은 그녀의 급우들과 잘 어울린다.

➊ fit in ~에 꼭 들어맞다, ~에 어울리다

□□ 345
fly to

~로 날아가다, (비행기를 타고) ~로 가다

fly(날다) + to(~으로) = 목적지로 날아서 가다

If I had a plane, I would **fly to** you. (교과서)
내게 비행기가 있다면, 나는 비행기를 타고 너에게로 갈 거야.

□□ 346
for a while

잠시 동안, 한동안, 당분간

for(~ 동안) + a while(잠시) = 잠시 동안

The doctor told me not to run **for a while**. (교과서)
의사는 내게 한동안 뛰지 말라고 말했다.

□□ 347
for sure

확실히, 틀림없이

for(~으로) + sure(확실한) = 틀림없는 확실한 내용으로

Nobody knows **for sure** how many animals are living in the world. (교과서)
그 누구도 이 세상에 얼마나 많은 동물들이 살고 있는지 확실히 알지 못한다.

□□ 348
generally speaking

일반적으로 (말하면)

generally(일반적으로) + speaking(말하는 것) = 일반적으로 말하는 것에 따르면

Generally speaking, hard work brings success.
일반적으로, 노력이 성공을 가져다준다.

□□ 349
in particular

특별히, 특히

in(~의 상태에 있는) + particular(특별한) = 특별한 상태에 있는

I like movies. **In particular**, I love romances.
나는 영화를 좋아한다. 특히, 나는 로맨스 영화를 매우 좋아한다.

□□ 350
in turn(s)

차례차례로, 결국

in(~의 형식으로) + turn(차례) = 차례가 있는 형식으로

Grass is eaten by deer, while deer **in turn** are eaten by tigers.
풀은 사슴에게 먹히지만, 사슴은 결국 호랑이에게 먹힌다.

make a reservation

예약하다

make(만들다) + a reservation(예약) = 예약을 만들다

I'd like to **make a reservation** for October 10th.
저는 10월 10일에 예약하고 싶습니다.

on one's way (to)

(~로) 가는 길에, (~로) 가는 중에 ⑲ on the way (to)

on(~ 위에서) + one's(자신의) + way(길) + to(~으로) = 목적지로 가던 자신의 길 위에서

She lost her wallet **on her way to** school. (교과서)
그녀는 학교로 가는 길에 자신의 지갑을 잃어버렸다.
➊ on one's way home 집으로 가는 길에, 집으로 가는 중에

set off

출발하다, 길을 떠나다 ⑲ depart

set(두다) + off(벗어난) = 출발지에서 벗어난 곳에 발을 두다

They got on a boat and **set off** for France. (교과서)
그들은 배를 타고 프랑스를 향해 출발했다.

thanks to

~ 덕분에

thanks(감사) + to(~에 대해) = 무언가에 대한 감사함으로

The boy survived, **thanks to** the help of his neighbors. (교과서)
그의 이웃들의 도움 덕분에, 그 소년은 살아남았다.

throw up

토하다, 게우다

throw(던지다) + up(위로) = 먹었던 음식을 다시 위로 던져 토하다

Some people **throw up** after riding in a car.
어떤 사람들은 차를 타고 난 후에 토한다.

□□ 356

wish to + 동사원형

~하기를 바라다 ㈜ hope to + 동사원형

wish(바라다) + to+동사원형(~하는 것) = ~하는 것을 바라다

The poet **wished to** publish his poems. (교과서)
그 시인은 자신의 시들을 출간하기를 바랐다.

헷갈리는 함정 숙어

□□ 357

put up

1. (천막 등을) 치다, (건물 등을) 세우다

put(두다) + up(위에) = 땅 위에 천막이나 건물 등을 세워 올리다

My uncle **put up** the tent near the river. (교과서)
나의 삼촌은 강가에 텐트를 쳤다.

2. (그림·액자 등을) 걸다

put(두다) + up(위에) = 그림이나 액자를 높은 곳 위에 두어 걸다

They **put up** some posters on the wall. (교과서)
그들은 벽에 몇 개의 포스터를 걸었다.

VS

□□ 358

put up with

~을 참고 견디다, ~를 참아 주다

put(두다) + up(위에) + with(~에 대해)
= 불편한 것에 대해 두 손을 귀 위에 두고 막아 꾹 참고 견디다

It was hard for me to **put up with** him. (교과서)
그를 참아 주는 것은 나에게 어려웠다.

서술형 만점 표현

□□ 359

enjoy -ing

~하는 것을 즐기다

She **enjoys** walking around the city.
그녀는 도시 주변을 걷는 것을 즐긴다.

Plus+ | enjoy, finish, mind, avoid 등의 동사들은 '동명사(-ing)'를 목적어로 취해요.

□□ 360

start to + 동사원형/-ing

~하기 시작하다

When things **start to** shake, look for shelter. (교과서)
물건들이 흔들리기 시작하면, 대피소를 찾아라.

Plus+ | 시작을 나타내는 동사 start, begin 등과 지속을 나타내는 동사 continue 등은 'to+
동사원형'과 '동명사(-ing)'를 모두 목적어로 취할 수 있어요.
When things **start** shaking, look for shelter.
물건들이 흔들리기 시작하면, 대피소를 찾아라.

Daily Test

[01~08] 영어는 우리말로, 우리말은 영어로 쓰세요.

01 on one's way (to) _____

02 fly to _____

03 for sure _____

04 wish to + 동사원형 _____

05 ~에 늦다, ~에 지각하다 _____

06 일반적으로 (말하면) _____

07 예약하다 _____

08 토하다, 게우다 _____

[09~12] 빈칸에 알맞은 표현을 <보기>에서 한 번씩 골라 쓰세요. (필요하다면, 형태도 올바르게 고치세요.)

<보기>	check out	in particular	in turn	fit in with

09 Guests should _____ by noon.
   투숙객들은 정오까지 퇴실해야 한다.

10 You'll _____ our book club easily.
   넌 우리 독서 동호회와 쉽게 잘 어울릴 거야.

11 Ms. Jones loves milk tea from that café _____.
   Ms. Jones는 특히 그 카페의 밀크티를 좋아한다.

12 The teacher called out each student's name _____.
   그 선생님은 각 학생의 이름을 차례차례로 불렀다.

[13~15] 문장에서 틀린 부분을 찾아 바르게 고치세요.

13 He will be at the hospital on a while.   _____ → _____
   그는 당분간 병원에 있을 것이다.

14 I got my money back thanks for the police.   _____ → _____
   나는 경찰 덕분에 내 돈을 되찾았다.

15 It's not easy to put up mean people.   _____ → _____
   무례한 사람들을 참아 주는 것은 쉽지 않다.

[16~18] 빈칸에 올바른 표현을 써서 문장을 완성하세요.

16 Most people _____ during the concert.

대부분의 사람들이 콘서트 중에 울음을 터뜨렸다.

17 The travelers _____ for Canada.

그 여행객들은 캐나다를 향해 출발했다.

18 The owner _____ a sign at his restaurant.

그 사장은 자신의 식당에 간판을 걸었다.

[19~20] 서술형 만점 표현과 주어진 단어들을 활용하여, 빈칸을 올바른 형태로 완성하세요.

My friend and I went to the library. We were enjoying **19** _____
books. But the girl next to us started **20** _____ on the phone.
We looked at the girl, but she didn't stop talking. We got very angry.

19 _____ (read)

20 _____ (talk)

DAY 19

음성 바로 듣기

□□ 361
be harmful to

~에(게) 해롭다

be(~이다) + harmful(해로운) + to(~에게) = 어떤 것이 누군가에게 해롭다

Grapes are harmful to dogs.
포도는 강아지들에게 해롭다.

□□ 362
burn out

1. (불이) 다 타버리다, 꺼지다

burn(타다) + out(없어진) = 불이나 불꽃이 다 타서 없어지다

The flame in the larger glass will burn out last. 교과서
큰 유리잔 안의 불꽃이 마지막에 꺼질 것이다.

2. (에너지를) 다 쓰다, 소진하다

burn(태우다) + out(다 떨어진) = 모든 에너지를 불태워 에너지가 다 떨어지다

Don't burn yourself out with too much studying.
과도한 공부로 당신 자신의 에너지를 다 쓰지 마세요.

□□ 363
call on

~에(게) 들르다 🌐 make a visit to

call(전화하다) + on(~에) = 어딘가에 미리 전화한 뒤에 들르다

I will call on her this afternoon for some tea.
나는 오늘 오후에 차를 좀 마시러 그녀에게 들를 것이다.

□□ 364
for a long time

오랫동안, 장기간

for(~ 동안) + a long time(긴 시간) = 긴 시간 동안

We bought a freezer to store food for a long time. 교과서
우리는 음식을 장기간 보관하기 위해 냉동고를 샀다.

□□ 365

for a moment

잠깐 동안 ⊛ for a minute, for a second

for(~ 동안) + a moment(잠깐) = 잠깐 동안

Yebin thought for a moment. (교과서)
예빈이는 잠깐 동안 생각했다.

□□ 366

for free

무료로 ⊛ for nothing

for(~으로) + free(무료의) = 무료로

If you buy two, you can get another one **for free.**
만약 두 개를 구매하시면, 다른 한 개를 무료로 얻으실 수 있습니다.

□□ 367

for instance

예를 들면, 예를 들어 ⊛ for example

for(~에 대해) + instance(사례) = 사례에 대해 말하자면

Some animals can interact with us. **For instance,**
some gorillas can communicate with humans.
어떤 동물들은 우리와 소통할 수 있다. 예를 들어, 일부 고릴라들은 인간과 의사소통을 할 수 있다.

□□ 368

get back to

~로 돌아가다 ⊛ return to

get(~에 이르다) + back(다시) + to(~으로) = 원래 있던 곳으로 다시 이르다

When will he **get back to** work?
그는 언제 직장으로 돌아갈까요?

□□ 369

in the same way

같은 방식으로, 마찬가지로

in(~의 형태로) + the same(같은) + way(방식) = 같은 방식의 형태로

The medicine doesn't work **in the same way** for
everyone.
그 약이 모든 사람에게 같은 방식으로 작용하지는 않는다.

□□ 370

invite A to B

A를 B로 초대하다

invite(~를 초대하다) + A + to(~으로) + B = A를 B로 초대하다

Why don't you **invite** her **to** your school festival?
그녀를 너희 학교 축제로 초대하는 게 어때?

make a plan

계획을 세우다

make(만들다) + a plan(계획) = 계획을 만들어 세우다

We already **made a plan** for the presentation.
우리는 이미 그 발표에 대한 계획을 세웠다.

on the spot

그 자리에서, 현장에서, 즉석에서

on(~에서) + the spot(그 자리) = 어떤 일이 발생한 바로 그 자리에서

Try not to buy more things **on the spot**. (교과서)
즉석에서 더 많은 것들을 구매하려 하지 마라.

set up

1. ~을 세우다, ~을 설립하다

set(세우다) + up(위로) = 구조물 또는 텐트 등을 위로 향하도록 세우다

When you **set up** a tent, choose a flat spot. (교과서)
텐트를 세울 때는, 평평한 장소를 선택하라.

2. ~을 설치하다

set(두다) + up(생겨나) = 새로운 것을 설치해 두어 없던 것이 생겨나다

Did you **set up** the speaker I asked for?
제가 요청했던 스피커를 설치하셨나요?

think of

~에 대해 생각하다 ⓐ think about

think(생각하다) + of(~에 대해) = 어떤 것에 대해 생각하다

What do you **think of** your new job? (교과서)
당신은 당신의 새 직장에 대해 어떻게 생각하시나요?

to be honest

솔직히 말하자면 ⓐ to tell the truth

to be(~이기 위해) + honest(솔직한) = 솔직하기 위해 말하자면

To be honest, I don't like fish that much.
솔직히 말하자면, 저는 생선을 그렇게 많이 좋아하지는 않습니다.

□□ 376
up to

1. (특정한 수·정도 등) ~까지
up(위로) + to(~까지) = 위로 최대 얼마까지

A horse can grow **up to** 1.8 meters and 900kg. (교과서)
말은 1.8미터에 900킬로그램까지 자랄 수 있다.

2. ~에(게) 달려 있는
up(생겨나) + to(~에) = 누군가의 결정에 따라 생겨날 수 있는

Whether we cook or eat out is **up to** you.
우리가 요리를 해 먹을지 외식을 할지는 너에게 달려 있다.

헷갈리는 함정 숙어
□□ 377
result from

~에서 유래하다, ~에서 비롯하다 (유) be caused by
result(생기다) + from(~에서) = 어떤 원인에서 유래하여 결과로 생기다

Many illnesses **result from** germs.
많은 질병들이 세균에서 비롯한다.

VS

□□ 378
result in

(결과로) ~을 낳다, ~을 야기하다, ~을 초래하다 (유) cause
result(끝나다) + in(~의 상태로) = 결과적으로 상황이나 일이 어떤 상태로 끝나다

His efforts at studying **resulted in** a good grade.
공부에 대한 그의 노력은 좋은 성적을 낳았다.

서술형 만점 표현
□□ 379
forget to + 동사원형

(미래에) ~할 것을 잊다

Don't **forget to** turn off the oven before you leave. (교과서)
나가기 전에 오븐을 끌 것을 잊지 마세요.

Plus+ 동사 forget 뒤에 '동명사(-ing)'가 오면 '(과거에) ~했던 것을 잊다'라는 의미를 가져요.
I can't **forget** seeing you for the first time. 나는 너를 처음 보았던 것을 잊을 수 없다.

□□ 380
try to + 동사원형

~하려고 노력하다

Try to be kind to your friends. (교과서)
친구들에게 친절해지려고 노력하라.

Plus+ 동사 try 뒤에 '동명사(-ing)'가 오면 '(시험 삼아) ~해보다'라는 의미를 가져요.
Why don't you **try** running for 30 minutes a day? 하루에 30분씩 뛰어보는 게 어때?

Daily Test

[01~08] 영어는 우리말로, 우리말은 영어로 쓰세요.

01 for a moment _____

02 set up _____

03 up to _____

04 think of _____

05 (불이) 다 타버리다 _____

06 ~로 돌아가다 _____

07 계획을 세우다 _____

08 ~에서 비롯하다 _____

[09~12] 빈칸에 알맞은 표현을 <보기>에서 한 번씩 골라 쓰세요. (필요하다면, 형태도 올바르게 고치세요.)

<보기>	on the spot	for free	in the same way	for a long time

09 They kept us waiting _____.
그들은 우리를 오랫동안 기다리게 했다.

10 Learning doesn't happen _____ for all people.
배움이 모든 사람에게 같은 방식으로 일어나지는 않는다.

11 Hayoung gave away her bike _____.
하영이는 자신의 자전거를 무료로 나누어 주었다.

12 The president made a speech _____.
대통령은 즉석에서 연설을 했다.

[13~15] 문장에서 틀린 부분을 찾아 바르게 고치세요.

13 He will call off me tomorrow.   _____ → _____
그는 내일 나에게 들를 것이다.

14 Some mushrooms are harmful at people.   _____ → _____
일부 버섯들은 사람들에게 해롭다.

15 Her efforts resulted from success.   _____ → _____
그녀의 노력이 성공을 낳았다.

해커스 보카 중학 숙어

[16~18] 빈칸에 올바른 표현을 써서 문장을 완성하세요.

16 _____, I don't remember his name.

솔직히 말하자면, 나는 그의 이름이 기억나지 않아.

17 There are many winter sports. _____, there's skiing.

많은 겨울 스포츠들이 있다. 예를 들어, 스키 타기가 있다.

18 The couple _____ their friends _____ a dinner party.

부부는 그들의 친구들을 저녁 식사 파티로 초대했다.

[19~20] 서술형 만점 표현과 주어진 단어들을 활용하여, 대화의 빈칸에 알맞은 표현을 쓰세요.

19 A: I'll make some salad for lunch.

　　B: Don't _____ tomatoes. (forget, buy)

20 A: I keep messing up my job interviews.

　　B: _____ on the bright side. You'll get better. (try, look)

DAY 20

음성 바로 듣기

□□ 381

be eager to + 동사원형

(간절히) ~하고 싶어 하다

be(~이다) + eager(갈망하는) + to+동사원형(~하는 것) = ~하는 것을 갈망하다

After the performance, I **was eager to** write a story about the band. 교과서

공연 후, 나는 그 밴드에 관한 이야기를 쓰고 싶었다.

➕ be eager for ~을 갈망하다

□□ 382

bump into

~와 부딪치다, ~와 (우연히) 마주치다 🐵 run into

bump(쿵 부딪치다) + into(~으로) = 두 사람이 서로에게로 달려오다가 쿵 부딪치다

At the cafe, Chaewon **bumped into** someone. 교과서

그 카페에서, 채원이는 누군가와 부딪쳤다.

□□ 383

by mistake

실수로, 잘못해서

by(~에 의해) + mistake(실수) = 실수에 의해

He fell into the fountain **by mistake**. 교과서

그는 실수로 분수에 빠졌다.

➕ by accident 사고로, 뜻밖에, 우연히

□□ 384

fill out

(서류 등을) 작성하다, 기입하다

fill(채우다) + out(완전히) = 서류 등의 빈칸을 완전히 채워 작성하다

If you want to sign up, please **fill out** the form first.

가입하기를 원하신다면, 먼저 양식을 작성해 주세요.

□□ 385

focus on

~에 집중하다, ~에 전념하다 🐵 concentrate on

focus(초점을 맞추다) + on(~에) = 어떤 것에 초점을 맞추고 집중하다

I should keep calm and **focus on** hockey practice. 교과서

나는 침착함을 유지하며 하키 연습에 전념해야 한다.

386
□□ 386

for a living

생계를 위해, 생계 수단으로

for(~을 위해) + a living(생계) = 생계를 위해

Cat food tasters taste cat food **for a living**. 교과서

고양이 사료 감식가들은 생계를 위해 고양이 사료를 맛본다.

387
□□ 387

get in

1. (안에) 들어가다 반 get out (of)

get(~에 이르다) + in(~ 안에) = 어떤 장소 안에 이르다

I can't **get in** the office on weekends.

나는 주말에는 사무실 안에 들어갈 수 없다.

2. (탈 것을) 타다

get(~에 이르다) + in(~ 안에) = 자동차나 택시 등의 탈 것 안에 이르다

Let's **get in** the blue car. 교과서

우리 파란색 차를 타자.

388
□□ 388

get out (of)

(~에서) 나가다, (~에서) 벗어나다 반 get in

get(~에 이르다) + out(밖에) + of(~에서) = 어떤 장소에서 밖에 이르다

Use the entrances to **get out of** the building. 교과서

건물에서 나가려면 출입구를 이용하세요.

389
□□ 389

in the distance

저 멀리(서), 먼 곳에(서)

in(~에서) + the distance(먼 거리) = 먼 거리에서

A shout was heard **in the distance**.

고함 소리가 저 멀리서 들렸다.

390
□□ 390

leave for

~로 떠나다, ~로 출발하다 유 depart for

leave(떠나다) + for(~을 향해) = 목적지를 향해 떠나다

When will you **leave for** New York?

너는 언제 뉴욕으로 출발할 거니?

lose one's way

길을 잃다, 방황하다 ⓨ be lost, get lost

lose(잃다) + one's(자신의) + way(길) = 자신이 걸어가던 길을 잃다

If you are not cautious, you can **lose your way**. 교과서
주의를 기울이지 않으면, 당신은 길을 잃을 수 있습니다.

out of hand

손 쓸 수 없는, 통제할 수 없는

out(벗어난) + of(~에서) + hand(손) = 통제자의 손에서 벗어난

Things finally got **out of hand**.
상황은 결국 통제할 수 없게 되었다.

show up

나타나다, 나오다, 도착하다

show(보여주다) + up(나타나) = 어떤 장소에 나타나 모습을 보여주다

The concert had begun before my friend **showed up**. 교과서
내 친구가 도착하기 전에 콘서트가 시작되었다.

throw away

~을 버리다, ~을 없애다

throw(던지다) + away(멀리) = 쓰레기 등을 멀리 던져서 버리다

Don't **throw away** empty boxes with other trash.
빈 상자들을 다른 쓰레기와 함께 버리지 마세요.

try out for

(선발 등을 위해) ~에 지원하다, ~에 출전하다

try(해 보다) + out(밖으로) + for(~을 위해) = 선발 등을 위해 밖으로 도전해 보다

Sebin **tried out for** the part of Snow White in the play.
세빈이는 그 연극의 백설공주 역에 지원했다.

➊ try out (~을) 시도해 보다, (~을) 시험해 보다

□□ 396
waste one's time

시간을 허비하다

waste(버리다) + one's(자신의) + time(시간) = 자신의 시간을 허비하여 버리다

I took the wrong train and **wasted my time.** 교과서
나는 열차를 잘못 타서 시간을 허비했다.

헷갈리는 함정 숙어

□□ 397
stand up

(일어)서다, 서 있다 반 sit down

stand(서다) + up(위로) = 몸을 위로 일으켜서 서다

Everybody **stood up** and clapped for us. 교과서
모든 사람이 일어서서 우리에게 박수를 쳤다.

VS

□□ 398
stand up for

~을 지지하다, ~을 옹호하다

stand(서다) + up(위로) + for(~을 위해) = 권리나 인물 등을 지지하기 위해 위로 일어서다

You should **stand up for** your rights.
당신은 당신의 권리를 옹호해야 한다.

서술형 만점 표현

□□ 399
It takes + 시간 + to + 동사원형

~하는 데 시간이 걸리다

It takes three hours **to** get there.
그곳에 도착하는 데 세 시간이 걸린다.

Plus+ | 'It takes + 시간 + to+동사원형'구문의 경우, 진짜 주어인 'to+동사원형'의 길이가 길기 때문에 가짜 주어 It이 진짜 주어 대신 문장 맨 앞에 와요.

□□ 400
There is[are]

~이 있다

There is a map on the table. 교과서
탁자 위에 한 장의 지도가 있다.

Plus+ | There is[are] 구문은 be동사(is/are) 뒤의 주어가 '단수'일 때는 'There is + 단수 주어'의 형태로, '복수'일 때는 'There are + 복수 주어'의 형태로 나타내요.
There are maps on the table. 탁자 위에 지도들이 있다.

Daily Test

[01~08] 영어는 우리말로, 우리말은 영어로 쓰세요.

01 by mistake _____   05 ~에 전념하다   _____

02 fill out   _____   06 (일어)서다, 서 있다   _____

03 get in   _____   07 손 쓸 수 없는   _____

04 show up   _____   08 ~을 버리다   _____

[09~12] 빈칸에 알맞은 표현을 <보기>에서 한 번씩 골라 쓰세요. (필요하다면, 형태도 올바르게 고치세요.)

<보기>	lose one's way	waste one's time	bump into	leave for

09 I _____ my old friend at the supermarket.
나는 슈퍼마켓에서 나의 옛 친구와 우연히 마주쳤다.

10 They will _____ the theater soon.
그들은 곧 영화관으로 출발할 것이다.

11 The boy _____ when trying to find the store.
그 남자아이는 가게를 찾으려다가 길을 잃었다.

12 He _____ trying to fix the car himself.
그는 직접 자동차를 고치려고 하다가 시간을 허비했다.

[13~15] 문장에서 틀린 부분을 찾아 바르게 고치세요.

13 Jiwoo was eager for win the contest.   _____ → _____
지우는 그 대회에서 간절히 우승하고 싶어 했다.

14 My wife teaches kids at school by a living.   _____ → _____
나의 아내는 생계를 위해 학교에서 아이들을 가르친다.

15 We should stand up to people in need.   _____ → _____
우리는 어려움에 처한 사람들을 옹호해야 한다.

[16~18] 빈칸에 올바른 표현을 써서 문장을 완성하세요.

16 She _____ the basketball team.
   그녀는 그 농구팀에 지원했다.

17 You should find the exit to _____ the maze.
   미로에서 나가려면 출구를 찾아야 한다.

18 The finish line was seen _____.
   결승선이 저 멀리 보였다.

[19~20] 서술형 만점 표현과 주어진 단어들을 활용하여, 대화의 빈칸에 알맞은 표현을 쓰세요.

19 Q: How many days are there in a week?

   A: _____ in a week. (seven days)

20 Q: How long does it take to get to the airport by bus?

   A: It _____ by bus. (two hours)

정답 및 해설

01 실수로, 잘못해서   02 (서류 등을) 작성하다, 기입하다   03 (안에) 들어가다, (탈 것을) 타다   04 나타나다, 나오다, 도착하다   05 focus on   06 stand up
07 out of hand   08 throw away   09 bumped into   10 leave for   11 lost his way   12 wasted his time   13 for → to   14 by → for   15 to → for
16 tried out for   17 get out of   18 in the distance   19 There are seven days   20 takes two hours to get to the airport

[19~20 해석]
19 Q: 일주일에는 며칠이 있나요?
   A: 일주일에는 7일이 있어요.
20 Q: 버스로 공항에 가는 데 얼마나 걸리나요?
   A: 버스로 공항에 가는 데는 2시간이 걸려요.

DAY 21

음성 바로 듣기

□□ 401
be curious about

~에 호기심이 많다, ~을 궁금해 하다

be(~이다) + curious(호기심 많은) + about(~에 대해) = 어떤 것에 대해 호기심이 많다

She **is curious about** food in other countries. 교과서

그녀는 다른 나라의 음식에 호기심이 많다.

□□ 402
brush off

(솔로) ~을 털어내다

brush(솔질하다) + off(~에서 떼어내어) = 솔질하여 무언가에서 먼지를 떼어내다

She picked up the shiny object and **brushed off** the dirt. 교과서

그녀는 그 반짝이는 물건을 집어 들어서 먼지를 털어냈다.

□□ 403
by chance

우연히, 뜻밖에

by(~에 의해) + chance(기회) = 우연한 기회에 의해

I met my brother at the mall **by chance**.

나는 쇼핑몰에서 우연히 우리 형을 만났다.

□□ 404
fall off

~에서 떨어지다

fall(떨어지다) + off(벗어나) = 높은 곳에서 발이 벗어나 떨어지다

He **fell off** a ladder and hurt his arm. 교과서

그는 사다리에서 떨어져서 팔을 다쳤다.

□□ 405
find out

~을 찾아내다, ~을 알아내다 유 figure out

find(찾다) + out(밖으로) = 사실이나 정보를 찾아서 밖으로 드러나게 하다

Let's **find out** the reason. 교과서

그 이유를 찾아내 보자.

□□ 406
for fun

재미로, 장난으로

for(~을 위해) + fun(재미) = 재미를 위해

Children should play sports for fun.

아이들은 재미로 운동을 해야 한다.

□□ 407
get off

(탈 것에서) 내리다 반 get on

get(~에 이르다) + off(벗어난) = 발이 버스나 기차 등에서 벗어난 곳에 이르다

You have to get off at this bus stop.

당신은 이 버스 정류장에서 내려야 해요.

□□ 408
give up

포기하다, 그만 두다

give(주다) + up(위로) = 양손을 위로 들어 주며 포기를 선언하다

Never give up! You're good at swimming. 교과서

절대 포기하지 마! 넌 수영을 잘 해.

➕ give up on ~을 포기하다

□□ 409
in the air

공중에(서), 허공에(서)

in(~에서) + the air(공중) = 공중에서

Flying fish can glide more than 10 meters in the air. 교과서

날치는 공중에서 10미터 이상 활공할 수 있다.

➕ on the air 방송되는, 방송 중인

□□ 410
look after

~를 돌보다, ~를 보살피다 유 take care of, care for

look(보다) + after(~를 뒤쫓아서) = 보살펴야 할 대상을 뒤쫓아 다니며 보다

I can look after your cat. 교과서

제가 당신의 고양이를 돌볼 수 있어요.

□□ 411
look through

~을 살펴보다, ~을 훑어보다

look(보다) + through(두루) = 무언가를 두루 살펴보다

Let's look through some books in the library.

도서관에서 몇 권의 책을 살펴보자.

412

out of nowhere

난데없이, 갑자기 ⊕ all of a sudden

out(밖으로) + of(~에서) + nowhere(어딘지 모를 곳)
= 어딘지 모를 곳에서 난데없이 밖으로 나온

We sometimes see spiders come out of nowhere. 교과서
우리는 가끔씩 거미들이 난데없이 나타나는 것을 본다.

413

sooner or later

조만간, 머지않아

sooner(더 일찍) + or(혹은) + later(더 늦게) = 더 일찍이든 혹은 더 늦게든 조만간

Sooner or later, you will enjoy doing exercise. 교과서
조만간, 너는 운동하는 것을 즐기게 될 거야.

414

turn away

1. (반대로) 돌아서다

turn(돌다) + away(저쪽으로) = 몸이 반대편인 저쪽으로 돌다

I turned away when the sun was too bright.
나는 해가 너무 밝게 비췄을 때 반대로 돌아섰다.

2. 외면하다, 거부하다

turn(돌리다) + away(저쪽으로) = 고개를 저쪽으로 돌려 외면하다

We shouldn't turn away from people in need.
우리는 어려움에 처한 사람들을 외면해서는 안 된다.

415

turn down

1. ~을 낮추다, ~을 약하게 하다 ⊕ turn up

turn(돌리다) + down(아래로) = 소리나 온도 조절 버튼을 아래로 돌려서 낮추다

Would you turn down the volume, please? 교과서
음량을 낮춰 주시겠어요?

2. ~을 거절하다

turn(돌리다) + down(아래로) = 어떤 것을 거절하는 표시로 올렸던 엄지를 아래로 돌리다

Mr. Shin turned down the job offer.
Mr. Shin은 그 일자리 제안을 거절했다.

☐☐ 416

wash the dishes

설거지를 하다 ㊜ do the dishes

wash(씻다) + the dishes(접시들) = 다 먹고 난 접시들을 씻다

I sometimes **wash the dishes** for my parents. (교과서)
나는 부모님을 위해 가끔 설거지를 한다.

헷갈리는 함정 숙어

☐☐ 417

pass by

1. (옆을) 지나가다

pass(지나가다) + by(~ 옆에) = 옆에 지나가다

The birds flew around as we **passed by**.
우리가 지나가자 새들이 주변을 날아다녔다.

2. (시간이) 지나다, 경과하다 ㊜ go by

pass(지나다) + by(~ 옆에) = 진행되는 상황 옆에 시간도 함께 지나다

A few hours **passed by** before she finally returned.
그녀가 마침내 돌아오기까지 몇 시간이 지났다.

VS

☐☐ 418

pass through

~을 통과해서 지나가다, ~을 관통하다

pass(지나가다) + through(~을 통과해서) = 무언가를 통과해서 지나가다

The hole lets air **pass through** the wall. (교과서)
그 구멍은 공기가 벽을 통과해서 지나갈 수 있게 한다.

서술형 만점 표현

☐☐ 419

one ~, the other -

(둘 중에서) 하나는 ~, 나머지 하나는 -

I have two bags. **One** is red, and **the other** is blue. (교과서)
나는 두 개의 가방을 갖고 있다. 하나는 빨간색이고, 나머지 하나는 파란색이다.

Plus+ 총 3개의 사물이 있는 경우에는, 처음 언급하는 1개를 one, 또 다른 1개를 another, 그리고 나머지 1개를 the other로 표현해요.

☐☐ 420

some ~, the others -

(셋 이상에서) 몇 개는 ~, 그 외 나머지들은 -

I'm taking many classes. **Some** are easy, but **the others** are difficult.
나는 여러 개의 수업을 듣고 있다. 몇 개는 쉽지만, 그 외 나머지들은 어렵다.

Plus+ 사물이 3개 이상이면서 개수가 명확할 때는, 처음 언급하는 몇 개를 some, 그 외 나머지를 the others로 나타내지만, 사물이 3개 이상이지만 정확한 개수를 알지 못할 때는, 처음 언급하는 몇 개는 some, (막연한) 나머지는 others로 표현해요.

Daily Test

[01~08] 영어는 우리말로, 우리말은 영어로 쓰세요.

01 find out _____

02 brush off _____

03 turn down _____

04 out of nowhere _____

05 재미로, 장난으로 _____

06 (탈 것에서) 내리다 _____

07 조만간, 머지않아 _____

08 ~을 통과해서 지나가다 _____

[09~12] 빈칸에 알맞은 표현을 <보기>에서 한 번씩 골라 쓰세요. (필요하다면, 형태도 올바르게 고치세요.)

<보기>	fall off	turn away	look after	give up

09 She _____ from me and talked to Sierra.
그녀는 나를 외면하고 Sierra와 이야기를 했다.

10 The vase _____ the table and broke into pieces.
그 꽃병은 탁자에서 떨어져서 산산조각이 났다.

11 Don't _____ on your goals.
당신의 목표를 포기하지 마세요.

12 All parents do their best to _____ their children.
모든 부모들은 자녀들을 돌보기 위해 최선을 다한다.

[13~15] 문장에서 틀린 부분을 찾아 바르게 고치세요.

13 The turtle passed off the rabbit and kept walking. _____ → _____
거북이는 토끼의 옆을 지나갔고 계속해서 걸었다.

14 I found the museum of chance. _____ → _____
나는 우연히 그 박물관을 발견했다.

15 The plane stayed on the air. _____ → _____
그 비행기는 공중에 머물러 있었다.

[16~18] 빈칸에 올바른 표현을 써서 문장을 완성하세요.

16 Kids _____ usually _____ nature.

아이들은 보통 자연에 호기심이 많다.

17 _____ the papers for information.

정보를 찾기 위해 그 서류들을 살펴보아라.

18 Please _____ after you eat.

식사하신 후에는 설거지를 해 주세요.

[19~20] 서술형 만점 표현과 주어진 단어들을 활용하여, 우리말 뜻에 맞도록 문장을 완성하세요.

19 I have two cats. 한 마리는 회색이고, 나머지 한 마리는 흰색이다.

→ _____ . (gray, white)

20 There were six cookies on the plate. 내가 몇 개를 먹었고, 내 친구가 그 외 나머지들을 먹었다.

→ _____ . (eat)

DAY 22

음성 바로 듣기

□□ 421
be capable of
~할 수 있다

be(~이다) + capable(능력이 있는) + of(~에 대해) = 무언가에 대해 능력이 있다

The small bus **was capable of** carrying 10 people.
그 작은 버스는 10명의 사람들을 수용할 수 있었다.

□□ 422
break through
~을 뚫고 나가다, ~을 뚫다

break(부수다) + through(~을 통과해서) = 무언가를 부수고 그것을 통과해 나가다

The protestors **broke through** the building's gate.
시위자들은 그 건물의 정문을 뚫고 나갔다.

□□ 423
build up
~을 키우다, ~을 보강하다

build(쌓다) + up(위로) = 무언가를 위로 쌓아 올려 키우다

If you work out every day, you can **build up** your muscles.
매일 운동을 하면, 당신은 근육을 키울 수 있다.

□□ 424
even though
비록 ~일지라도, 비록 ~이지만 逾 although, even if

even(심지어) + though(~일지라도) = 심지어 반대되는 어떤 상황일지라도

Even though the team didn't win the game, they tried their best. 교과서
비록 그 팀이 경기에서 이기지는 못했지만, 그들은 최선을 다했다.

□□ 425
fall in love (with)
(~와) 사랑에 빠지다

fall(빠지다) + in(~에) + love(사랑) + with(~와) = 누군가와 사랑에 빠지다

The prince **fell in love with** the princess at first sight.
왕자는 첫눈에 공주와 사랑에 빠졌다.

□□ 426

for nothing

공짜로 ⓤ for free

for(~으로) + nothing(아무 것도 없음) = 돈을 아무 것도 내지 않고 공짜로

She got a T-shirt for nothing.

그녀는 티셔츠 한 벌을 공짜로 얻었다.

□□ 427

get through

(어려움·시련을) 극복하다, 헤쳐 나가다

get(~하게 되다) + through(~을 통과해서) = 어려움과 시련을 통과하게 되다

How do polar bears get through long and cold winters? (교과서)

북극곰들은 길고 추운 겨울을 어떻게 극복하나요?

□□ 428

go -ing

~하러 가다

go(가다) + -ing(~하는 것) = ~하는 것을 목적으로 가다

Every summer, my family goes surfing. (교과서)

매년 여름에, 우리 가족은 서핑을 하러 간다.

□□ 429

in short

간단히 말하면, 요약하면

in(~의 형태로) + short(짧은) = 말을 짧고 간단한 형태로 하면

I haven't eaten since breakfast. In short, I'm starving!

나는 아침 식사 이후로 먹지 않았어. 간단히 말하면, 나는 배고파 죽겠어!

□□ 430

look into

1. (안을) 들여다 보다

look(보다) + into(~ 안으로) = 어떤 것 안으로 들여다 보다

Did you look into that bag?

그 가방 안을 들여다 보셨나요?

2. ~을 자세히 보다, ~을 조사하다

look(보다) + into(~ 안으로) = 사실이나 정보를 안으로 깊이 들여다 보다

Let's look into some articles. (교과서)

몇몇 기사들을 조사해 보자.

make a mistake

실수하다, 잘못 생각하다

make(만들다) + a mistake(실수) = 잘못해서 실수를 만들다

I'm worried I might **make a mistake**.

저는 제가 실수할까 봐 걱정이 돼요.

out of order

고장 난, 상태가 나쁜

out(벗어난) + of(~에서) + order(정상 상태) = 정상 상태에서 벗어나 고장 난

The elevator is **out of order**.

엘리베이터가 고장 났다.

stick to

1. ~에 붙다

stick(붙다) + to(~에) = 스티커처럼 어떤 곳에 찰싹 붙다

Some animals can **stick to** walls. 교과서

몇몇 동물들은 벽에 붙어 있을 수 있다.

2. (생각·지침 등을) 굳게 지키다 ㈜ stick by

stick(달라붙다) + to(~에) = 생각이나 지침에 찰싹 붙어 굳게 지키다

He told us to **stick to** the company's guidelines.

그는 우리에게 회사의 지침을 굳게 지키라고 말했다.

turn in

(서류 등을) 제출하다 ㈜ hand in

turn(향하게 하다) + in(~ 안으로) = 서류 등을 제출함 안으로 향하게 해서 내다

I should **turn in** the paper today.

나는 오늘 논문을 제출해야 한다.

use up

~을 다 써 버리다, ~을 소모하다

use(쓰다) + up(완전히) = 갖고 있던 것을 완전히 다 쓰다

The computer **uses up** a lot of money in electricity.

그 컴퓨터는 전기에 많은 돈을 소모한다.

□□ 436

walk along

~을 따라 걷다

walk(걷다) + along(~을 따라서) = 길이나 해변 등을 따라서 걷다

The couple started to **walk along** the beach.

그 커플은 해변을 따라 걷기 시작했다.

헷갈리는 함정 숙어

□□ 437

VS

turn off

(전기·기계 등을) 끄다 ⑪ turn on

turn(돌리다) + off(벗어나) = 전원 버튼을 돌려 작동 상태에서 벗어나게 하다

Turn off the lights when you aren't using them. (교과서)

조명을 사용하고 있지 않을 때는 그것들을 꺼라.

□□ 438

turn out

~으로 드러나다, ~으로 밝혀지다

turn(뒤집히다) + out(밖으로) = 숨겨져 있던 사실 등이 밖으로 뒤집혀 나오다

Eunbi's words **turned out** to be true. (교과서)

은비의 말은 사실인 것으로 드러났다.

서술형 만점 표현

□□ 439

a few + 복수명사

몇 개의, 약간의

Joe had a car accident **a few** weeks ago.

Joe는 몇 주 전에 교통사고를 당했다.

➕ few + 복수명사 거의 없는

Plus+ | a few는 셀 수 있는 명사가 '약간 있는' 것을 의미하는 반면, few는 셀 수 있는 명사가 '거의 없는' 것을 의미해요.
a few people 몇 명의 사람들   **few** people 거의 없는 사람들

□□ 440

a little + 불가산명사

약간의, 조금의

I have **a little** money for a snack.

나는 간식을 사 먹을 약간의 돈을 갖고 있다.

➕ little + 불가산명사 거의 없는

Plus+ | a little은 셀 수 없는 명사가 '약간 있는' 것을 의미하는 반면, little은 셀 수 없는 명사가 '거의 없는' 것을 의미해요.
a little salt 약간의 소금   **little** salt 거의 없는 소금

Daily Test

[01~08] 영어는 우리말로, 우리말은 영어로 쓰세요.

01 be capable of _____

02 build up _____

03 make a mistake _____

04 walk along _____

05 공짜로 _____

06 (서류 등을) 제출하다 _____

07 ~을 다 써 버리다 _____

08 간단히 말하면, 요약하면 _____

[09~12] 빈칸에 알맞은 표현을 <보기>에서 한 번씩 골라 쓰세요. (필요하다면, 형태도 올바르게 고치세요.)

<보기>	get through	look into	break through	stick to

09 I _____ the plastic bag with my fingers.
나는 그 비닐봉지를 내 손가락으로 뚫었다.

10 How do you _____ this hot weather?
당신은 이렇게 더운 날씨를 어떻게 극복하나요?

11 The stamp didn't _____ the envelope.
그 우표는 편지 봉투에 붙지 않았다.

12 The police _____ the crime.
경찰은 그 범죄를 조사했다.

[13~15] 문장에서 틀린 부분을 찾아 바르게 고치세요.

13 The rumor turned off to be true.   _____ → _____
그 소문은 사실인 것으로 드러났다.

14 The little boy got in love with her right away.   _____ → _____
그 어린 남자아이는 곧바로 그녀와 사랑에 빠졌다.

15 The ride is in order for now.   _____ → _____
그 놀이기구는 현재 고장 난 상태이다.

[16~18] 빈칸에 올바른 표현을 써서 문장을 완성하세요.

16 Please _____ the air conditioner since it's cold.

날씨가 추우니 에어컨을 꺼 주세요.

17 _____ it rained, the concert was still fun.

비록 비가 왔을지라도, 그 콘서트는 여전히 즐거웠다.

18 We _____ on the weekends.

우리는 주말마다 하이킹을 하러 간다.

[19~20] 서술형 만점 표현을 활용하여, 빈칸에 알맞은 표현을 <보기>에서 골라 쓰세요.

<보기>	a few	few	a little	little

19 I saw _____ people waiting in front of the café.

나는 그 카페 앞에서 기다리고 있는 몇 명의 사람들을 보았다.

20 I want to drink some juice, but there is _____ juice left in the bottle.

나는 주스를 조금 마시고 싶은데, 병 안에 남아 있는 주스가 거의 없다.

정답 및 해설
01 ~할 수 있다   02 ~을 키우다, ~을 보강하다   03 실수하다, 잘못 생각하다   04 ~을 따라 걷다   05 for nothing   06 turn in   07 use up   08 in short
09 broke through   10 get through   11 stick to   12 looked into   13 off → out   14 got → fell   15 in → out of   16 turn off
17 Even though   18 go hiking   19 a few   20 little

DAY 22 **141**

DAY 23

☐☐ 441

back and forth

왔다 갔다, 이리저리

back(뒤로) + and(그리고) + forth(앞으로) = 뒤로 왔다가 앞으로 갔다가

As the baby cried, the dog walked **back and forth**.
아기가 울자, 그 강아지는 이리저리 걸어 다녔다.

☐☐ 442

break down

1. (기계·차 등이) 고장 나다

break(고장 나다) + down(낮아져) = 기계나 차가 고장이 나서 기능이 낮아지다

The car **broke down** after it was flooded. (교과서)
그 차는 침수된 이후 고장 났다.

2. 쪼개지다, 분해되다

break(부서지다) + down(낮아져) = 부서지면서 더 낮은 단위로 쪼개지다

Plastic bags take years to **break down**. (교과서)
비닐봉지는 분해되는 데 수년이 걸린다.

☐☐ 443

break the rule(s)

규칙을 어기다

break(깨다) + the rules(규칙들) = 규칙들을 깨고 지키지 않다

He **broke the rule** and performed secret marriages.
그는 규칙을 어기고 비밀 결혼을 거행했다.

➕ break the law(s) 법률을 어기다

☐☐ 444

day and night

밤낮으로, 쉴 새 없이

day(낮) + and(그리고) + night(밤) = 낮이고 밤이고 쉬지 않고

Everybody enjoyed dancing **day and night**. (교과서)
모든 사람이 밤낮으로 즐겁게 춤을 췄다.

□□ 445

eat out

외식하다

eat(먹다) + out(밖에서) = 밖에서 밥을 먹다

Many people prefer to **eat out** on Saturday night.
많은 사람들이 토요일 밤에 외식하는 것을 선호한다.

□□ 446

for one thing

우선 한 가지 이유는, 우선 한 가지는

for(~으로) + one(한 가지) + thing(것) = 이유가 되는 한 가지 것으로는

I'm not sure if Eric loves me. **For one thing**, he doesn't call me. 교과서
나는 Eric이 나를 사랑하는지 모르겠어. 우선 한 가지 이유는, 그는 내게 전화를 안 해.

□□ 447

get well

(건강을) 회복하다, (병이) 나아지다

get(~하게 되다) + well(건강한) = 아프고 병들었던 몸이 건강하게 되다

I hope she'll **get well** soon.
나는 그녀가 곧 건강을 회복하기를 바란다.

➕ **get better** (질병·상황이) 더 나아지다

□□ 448

go to a movie

영화를 보러 가다

go(가다) + to(~을 향해) + a movie(영화) = 영화가 있는 곳을 향해 가다

Let's **go to a movie** tonight.
오늘 밤에 영화를 보러 가자.

□□ 449

in response to

~에 대한 반응으로, ~에 대한 답변으로

in(~의 형태로) + response(반응) + to(~에 대해) = 자극에 대한 반응의 형태로

Jeff nodded **in response to** the question.
Jeff는 그 질문에 대한 답변으로 고개를 끄덕였다.

□□ 450

look ahead

(앞날을) 내다 보다, (미래를) 생각하다

look(보다) + ahead(앞으로) = 다가올 날을 앞으로 내다 보다

Look ahead and dream big to achieve your goal.
당신의 목표를 달성하기 위해서는 앞날을 내다 보고 꿈을 크게 꾸어라.

□□ 451

look at

~을 보다

look(보다) + at(~에 대해) = 어떤 대상에 대해 눈을 두고 보다

Look at the clock. It's time to leave. (교과서)

시계를 봐. 출발할 시간이야.

□□ 452

practice -ing

~하는 것을 연습하다

practice(연습하다) + -ing(~하는 것) = ~하는 것을 연습하다

I **practiced** sing**ing** in front of my classmates. (교과서)

나는 반 친구들 앞에서 노래하는 것을 연습했다.

□□ 453

take away

~을 치우다, ~을 빼앗다

take(가져가다) + away(멀리) = 어떤 것을 멀리 가져가서 치우다

AI robots can **take away** many jobs from us.

인공 지능 로봇은 우리에게서 많은 일자리를 빼앗을 수 있다.

□□ 454

turn up

1. (소리·온도 등을) 높이다 ⊕ turn down

turn(돌리다) + up(위로) = 소리나 온도 조절 버튼을 위로 돌려서 높이다

Let's **turn up** the heat.

우리 난방 온도를 높이자.

2. 나타나다

turn(변하다) + up(나타나) = 없던 것이 눈 앞에 나타나도록 변하다

Suddenly, the police **turned up** on the stage. (교과서)

갑자기, 경찰이 무대 위에 나타났다.

□□ 455

vote for

~에(게) (찬성) 투표를 하다

vote(투표하다) + for(~을 위해) = 특정한 사람이나 목적을 위해 투표하다

Over 50 percent of the students **voted for** Sally. (교과서)

50퍼센트가 넘는 학생들이 Sally에게 투표를 했다.

➕ vote against ~에(게) 반대 투표를 하다

☐☐ 456

wait for

~을 기다리다

wait(기다리다) + for(~을) = 어떤 대상을 기다리다

When Christmas comes, a lot of children **wait for** presents. (교과서)

크리스마스가 다가오면, 많은 아이들이 선물을 기다린다.

➕ wait on ~을 기다리다, ~의 (식사) 시중을 들다

헷갈리는 함정 숙어

☐☐ 457

be anxious about

~에 대해 걱정하다 ㉤ be worried about

be(~이다) + anxious(걱정하는) + about(~에 대해) = 무언가에 대해 걱정하다

I **was anxious about** the exam because I didn't prepare for it.

나는 시험에 대한 준비를 하지 않았기 때문에 그 시험에 대해 걱정했다.

VS

☐☐ 458

be anxious to
+동사원형

~하기를 열망하다 ㉤ be eager to+동사원형

be(~이다) + anxious(열망하는) + to+동사원형(~하는 것) = ~하는 것을 열망하다

Travis **is anxious to** complete his project.

Travis는 자신의 프로젝트를 완수하기를 열망한다.

➕ be anxious for ~을 몹시 하고 싶어하다, ~을 열망하다

서술형 만점 표현

☐☐ 459

how many+복수명사

얼마나, 몇 명, 몇 개

How many sisters do you have? (교과서)

너에게는 여자 형제가 몇 명 있니?

Plus+ 셀 수 있는 명사의 수가 '얼마나 (많이)' 있는지를 물을 때는, 'how many + 복수명사'로 시작하는 의문문을 써서 질문할 수 있어요.

☐☐ 460

how much+불가산명사

얼마(나), 어느 정도

How much money do you need?

너는 돈이 얼마나 필요하니?

Plus+ 셀 수 없는 명사의 양이 '얼마나 (많이)' 있는지를 물을 때는, 'how much + 불가산명사'로 시작하는 의문문을 써서 질문할 수 있어요.

Daily Test

[01~08] 영어는 우리말로, 우리말은 영어로 쓰세요.

01 break down _____

02 eat out _____

03 go to a movie _____

04 take away _____

05 규칙을 어기다 _____

06 (건강을) 회복하다 _____

07 ~을 보다 _____

08 ~을 기다리다 _____

[09~12] 빈칸에 알맞은 표현을 <보기>에서 한 번씩 골라 쓰세요. (필요하다면, 형태도 올바르게 고치세요.)

<보기>	turn up	look ahead	day and night	back and forth

09 The ball was passed _____ between players.
그 공은 선수들 사이에서 이리저리 패스되었다.

10 The soldiers protect the gate _____.
그 병사들은 출입문을 밤낮으로 지킨다.

11 _____ to the future for success.
성공을 위해서는 미래를 내다 보아라.

12 Only five students from the class _____ to the party.
그 반의 오직 다섯 명의 학생들만 파티에 나타났다.

[13~15] 문장에서 틀린 부분을 찾아 바르게 고치세요.

13 Students voted against the school's plan. _____ → _____
학생들은 학교의 계획에 찬성 투표를 했다.

14 By one thing, I'm really bad at baseball. _____ → _____
우선 한 가지는, 나는 정말로 야구를 못해.

15 I am anxious to my speech. _____ → _____
나는 내 연설에 대해 걱정하고 있다.

[16~18] 빈칸에 올바른 표현을 써서 문장을 완성하세요.

16 The famous athlete _____ golf every day.
그 유명한 운동선수는 매일 골프 치는 것을 연습한다.

17 The audience clapped _____ the performance.
관중은 그 공연에 대한 반응으로 박수를 쳤다.

18 He was _____ become a teacher.
그는 선생님이 되기를 열망했다.

[19~20] 서술형 만점 표현을 활용하여 문장을 완성하세요.

19 _____ brothers do you have?
너에게는 형제들이 몇 명 있니?

20 _____ sugar do you want?
당신은 설탕을 얼마나 원하나요?

DAY 24

□□ 461
ask A a favor
A에게 부탁을 하다

ask(요청하다) + A + a favor(부탁) = A에게 부탁을 들어달라고 요청하다

Can I ask you a favor?
당신께 부탁을 해도 될까요?

➕ do A a favor A의 부탁을 들어주다

□□ 462
be worried about
~에 대해 걱정하다 ⓨ be concerned about, be anxious about

be(~이다) + worried(걱정하는) + about(~에 대해) = 어떤 것에 대해 걱정하다

I'm worried about the swimming contest. 교과서
나는 그 수영 대회에 대해 걱정하고 있다.

□□ 463
break one's leg
다리가 부러지다

break(부러뜨리다) + one's(자신의) + leg(다리) = 다쳐서 자신의 다리를 부러뜨리다

She broke her leg while walking down the stairs.
그녀는 계단을 걸어 내려가다가 다리가 부러졌다.

□□ 464
come out (of)
(~에서) 나오다 ⓑ come in (to)

come(오다) + out(밖으로) + of(~에서) = 원래 있던 곳에서 밖으로 나오다

Baby birds came out of the eggs. 교과서
아기 새들이 알에서 나왔다.

□□ 465
each of
(~의) 각각, (~의) 각자

each(각각) + of(~의) = 어떤 것의 각각

Each of us needs people who inspire us.
우리 각자에게는 우리에게 영감을 주는 사람들이 필요하다.

Plus+ 'each of + 복수 명사'는 '(복수 명사의) 각각'이라는 의미로, 단수 취급해요.

□□ 466

from beginning to end

처음부터 끝까지, 시종일관하여

from(~부터) + beginning(시작) + to(~까지) + end(끝) = 시작부터 끝까지

They watched the soccer game **from beginning to end.** (교과서)

그들은 그 축구 경기를 처음부터 끝까지 시청했다.

□□ 467

give in

항복하다, 굴복하다

give(주다) + in(~으로) = 다른 사람에게로 승리를 내어주다

No one **gave in**, and the argument became serious.

그 누구도 굴복하지 않았고, 언쟁은 심각해졌다.

➕ give up 포기하다, 그만 두다

□□ 468

grow up

자라다, 성장하다

grow(자라다) + up(위로) = 위로 서서히 크면서 자라다

One of my friends **grew up** with two older sisters.

내 친구들 중 한 명은 두 명의 누나와 함께 자랐다.

□□ 469

in many ways

여러 면에서, 여러모로

in(~에서) + many(여러) + ways(면) = 여러 면에서

The Nile River is interesting **in many ways.** (교과서)

나일 강은 여러 면에서 흥미롭다.

□□ 470

listen to

~에 귀를 기울이다, ~을 듣다

listen(듣다) + to(~에 대해) = 어떤 것에 대해 귀 기울여 듣다

When I feel sad, I **listen to** music. (교과서)

나는 슬플 때, 음악을 듣는다.

> Plus+ 동사 listen to와 hear 모두 '~을 듣다'라는 의미이지만, listen to는 '어떤 소리를 주의를 기울여 듣는' 행동을, hear는 '들려오는 소리를 어쩌다가 듣는' 행동을 의미해요.

DAY 24

해커스 보카 중학 숙어

☐☐ 471

make sense

1. 의미가 통하다, 말이 되다

make(만들다) + sense(의미) = 글이나 말이 매끄러운 의미를 만들다

A good story has to make sense.
좋은 이야기는 의미가 통해야 한다.

2. 이해하다

make(만들다) + sense(의미) = 머릿속에서 의미를 만들어 이해하다

I couldn't make sense of all the clues.
나는 모든 단서들을 이해할 수 없었다.

☐☐ 472

prior to

~에 앞서, ~보다 이전에

prior(앞서서) + to(~에 비해) = 비교 대상에 비해 앞서서

Customers lined up at the store prior to its opening time.
고객들은 그 가게의 개점 시간에 앞서 그곳에서 줄을 섰다.

☐☐ 473

take turns

차례로 하다, 교대로 하다

take(갖다) + turns(차례) = 차례를 갖고 교대로 무엇을 하다

Geese take turns in the lead during their journey. 교과서
거위들은 그들의 여정 동안 교대로 선두에 선다.

☐☐ 474

turn to

1. ~로 돌다

turn(돌다) + to(~으로) = 특정 방향으로 돌다

If you turn to the left, you can see me. 교과서
왼쪽으로 돌면, 나를 볼 수 있을 거야.

2. ~에 의존하다, ~에게 의지하다

turn(돌리다) + to(~으로) = 특정 대상으로 마음을 돌려 의존하다

We turn to sweets to feel better.
우리는 기분이 나아지기 위해 단 것에 의존한다.

□□ 475

want to + 동사원형

~하기를 원하다, ~하고 싶어하다 ㈜ wish to + 동사원형

want(원하다) + to + 동사원형(~하는 것) = ~하는 것을 원하다

Dongmin wants to be a good tennis player. (교과서)

동민이는 훌륭한 테니스 선수가 되고 싶어한다.

➕ want A to + 동사원형 A가 ~하기를 원하다

□□ 476

wash away

(물 등으로) ~을 씻어내다, ~을 휩쓸어 가다

wash(씻다) + away(멀리) = 물 등으로 무언가를 씻어서 멀리 보내다

The strong waves can wash away a whole town. (교과서)

큰 파도들은 도시 전체를 휩쓸어 갈 수 있다.

헷갈리는 함정 숙어

□□ 477

in time

제시간에, 늦지 않게

in(~에) + time(시간) = 예정된 시간에

If I don't leave, I may not get home in time. (교과서)

내가 출발하지 않으면, 나는 제시간에 집에 도착할 수 없을지도 몰라.

VS

□□ 478

in no time

즉시, 당장에

in(~에) + no(없는) + time(시간) = 시간이 없을 정도로 짧은 시간에 즉시

She solved the difficult question in no time. (교과서)

그녀는 그 어려운 문제를 즉시 풀었다.

서술형 만점 표현

□□ 479

as + 원급 + as

-만큼 ~한[~하게], -처럼 ~한[~하게]

I captured as many as a hundred fish. (교과서)

나는 백 마리의 물고기만큼 많이 잡았다.

Plus+ | 두 대상의 상태나 수량이 동등함을 나타낼 때는 'as + (형용사/부사의) 원급 + as'를 써요.

□□ 480

as + 원급 + as possible

가능한 한 ~한[~하게] ㈜ as + 원급 + as + 주어 + can

Come here as soon as possible.

가능한 한 빨리 여기로 와라.

Daily Test

[01~08] 영어는 우리말로, 우리말은 영어로 쓰세요.

01 take turns _____

02 give in _____

03 grow up _____

04 prior to _____

05 처음부터 끝까지 _____

06 의미가 통하다 _____

07 (~의) 각각 _____

08 즉시, 당장에 _____

[09~12] 빈칸에 알맞은 표현을 <보기>에서 한 번씩 골라 쓰세요. (필요하다면, 형태도 올바르게 고치세요.)

<보기>	wash away	turn to	come out of	be worried about

09 The pilot _____ his first flight.
그 비행기 조종사는 자신의 첫 비행에 대해 걱정했다.

10 The rabbit _____ the hole.
토끼가 그 구멍에서 나왔다.

11 I _____ exercise when I'm stressed.
나는 스트레스를 받을 때 운동에 의존한다.

12 _____ the dirt with water.
물로 먼지를 씻어내라.

[13~15] 문장에서 틀린 부분을 찾아 바르게 고치세요.

13 The student wants being a doctor in the future. _____ → _____
그 학생은 미래에 의사가 되기를 원한다.

14 I listen all kinds of music. _____ → _____
나는 모든 종류의 음악을 듣는다.

15 Ren might not come in no time for class. _____ → _____
Ren은 제시간에 수업에 오지 않을 수도 있다.

[16~18] 빈칸에 올바른 표현을 써서 문장을 완성하세요.

16 To get the book, I had to _____ Tony _____.

그 책을 얻기 위해, 나는 Tony에게 부탁을 해야 했다.

17 You can _____ if you fall.

만약 떨어지면 너는 다리가 부러질 수 있다.

18 This sci-fi movie is amazing _____.

이 공상 과학 영화는 여러모로 놀랍다.

[19~20] 서술형 만점 표현과 주어진 단어들을 활용하여, 다음 글의 빈칸을 완성하세요.

	Laptop A	Laptop B
weight	1.2kg	1.2kg
price	$800	$700

Hello,

We've found two laptops that match your request, and we would like to recommend Laptop B. Speaking of weight, Laptop A is **19** _____ Laptop B, but Laptop B is $100 cheaper than Laptop A. If you want to order it now, please reply back to me **20** _____.

Lincoln Electronics

19 _____ (light)

20 _____ (soon, possible)

DAY 25

□□ 481

account for

1. ~을 차지하다

account(차지하다) + for(~을) = 일정 부분이나 비율을 차지하다

Kid's clothing accounts for 40 percent of all sales.
아동복이 전체 매출액의 40퍼센트를 차지한다.

2. ~을 설명하다, ~을 해명하다

account(설명하다) + for(~에 대해) = 무언가에 대해 설명하다

How can I **account for** the mistakes?
제가 어떻게 그 실수들을 해명할 수 있을까요?

□□ 482

be satisfied with

~에 만족하다 ⑨ be happy with, be content with

be(~이다) + satisfied(만족한) + with(~에) = 어떤 것에 만족하다

Are you **satisfied with** our history course? 교과서
넌 우리의 역사 수업에 만족하니?

□□ 483

break a bad habit

나쁜 습관을 고치다

break(깨다) + a bad habit(나쁜 습관) = 나쁜 습관을 깨서 고치다

Did you ever try to **break a bad habit?** 교과서
당신은 나쁜 습관을 고치려고 노력해본 적이 있나요?

□□ 484

come in

(안으로) 들어오다 ⑨ come into

come(오다) + in(~ 안으로) = 안으로 오다

Please **come in** and have some doughnuts. 교과서
안으로 들어오셔서 도넛 좀 드세요.

□□ 485
due to

~ 때문에, ~으로 인해 ⑪ because of

due(원인을 돌려야 하는) + to(~에) = 원인을 어떤 것에 돌려 그것 때문에

Old people go through pain **due to** weak bones.
나이가 많은 사람들은 약한 뼈로 인해 고통을 겪는다.

□□ 486
from place to place

이곳저곳으로, 여기저기에

from(~에서) + place(곳) + to(~으로) + place(곳) = 이곳에서 저곳으로

We usually travel **from place to place** on vacations.
우리는 보통 방학 때마다 이곳저곳으로 여행을 다닌다.

➕ from time to time 이따금, 때때로

□□ 487
go abroad

외국에 가다

go(가다) + abroad(해외로) = 해외로 가다

Are you planning to **go abroad** again?
당신은 다시 외국에 갈 계획을 하고 있나요?

□□ 488
How about -ing?

~하는 게 어때? ⑪ What about -ing?

how(어떻게) + about(~에 대해) + -ing(~하는 것) = ~하는 것에 대해 어떻게 생각해?

It's stopped raining. **How about** going shopping?
비가 그쳤어. 쇼핑하러 가는 게 어때?

➕ How[what] about + 명사 ~은 어때?

□□ 489
instead of

~ 대신에, ~보다는

instead(대신으로) + of(~에 대해) = 어떤 것에 대해 대신으로

Use paper straws **instead of** plastic ones.
플라스틱 빨대 대신에 종이 빨대를 사용하라.

□□ 490
lie down

눕다

lie(눕다) + down(아래로) = 몸을 아래로 두고 눕다

Please **lie down** on the mattress.
매트리스 위에 누워 주세요.

□□ 491

make up one's mind

결심하다, (마음의) 결정을 내리다 ⑲ decide

make(만들다) + up(완전히) + one's(자신의) + mind(마음)
= 자신의 마음을 완전히 만들어 정하다

Adam finally **made up his mind** to move to Germany.
Adam은 마침내 독일로 이사를 가기로 결심했다.

□□ 492

promise to + 동사원형

~하기로 약속하다

promise(약속하다) + to+동사원형(~하는 것) = ~하는 것을 약속하다

Sorry, I **promise to** be early next time.
미안해, 다음 번에는 일찍 오기로 약속할게.

□□ 493

to one's surprise

놀랍게도, 의외로

to(~까지) + one's(누군가의) + surprise(놀라움) = 누군가의 놀라움에 이르면서까지

To my surprise, the five-year-old girl won the contest.
놀랍게도, 그 다섯 살 소녀가 대회에서 우승했다.

➊ to one's regret 유감스럽게도

□□ 494

trip over

~에 발이 걸려 넘어지다

trip(걸려 넘어지다) + over(위로) = 땅에 있는 것에 발이 걸려 위로 넘어지다

Don't leave your backpack where someone can **trip over** it. 교과서
누군가가 발이 걸려 넘어질 수 있는 곳에 당신의 배낭을 두지 마세요.

□□ 495

watch out (for)

(~을) 조심하다 ⑲ look out (for)

watch(살피다) + out(밖에) + for(~을 위해) = 위험을 조심하기 위해 밖을 살피다

Watch out for people on the street while driving.
운전 중에는 도로 위에 있는 사람들을 조심하라.

□□ 496

what is more

게다가, 더군다나

what(~인 것) + is(~은) + more(그 이상의) = 게다가 그 이상인 것은

I have the day off, and **what is more**, it's a beautiful day.

나는 쉬는 날인데, 더군다나, 오늘은 날씨도 좋아.

헷갈리는 함정 숙어

□□ 497

at a time

한 번에, 동시에

at(~에) + a time(한 번) = 한 번에

You can borrow three books **at a time**.

당신은 한 번에 세 권의 책을 빌릴 수 있습니다.

VS

□□ 498

at any time

아무 때나, 언제든

at(~에) + any(어떤) + time(때) = 어떤 때에든 아무 때나

The next terror attack can occur **at any time**.

다음 테러 공격이 언제든 일어날 수 있다.

서술형 만점 표현

□□ 499

배수사 + as + 원급 + as

-배 더 ~한[~하게]

My math homework takes **twice as long as** my English homework. (교과서)

나의 수학 숙제는 영어 숙제보다 두 배 더 오래 걸린다.

Plus+ | '배수사 + 비교급 + than'도 '-배 더 ~한[~하게]'라는 뜻을 나타내요.
My math homework takes **twice longer than** my English homework.
나의 수학 숙제는 영어 숙제보다 두 배 더 오래 걸린다.

□□ 500

much + 비교급 + than

-보다 훨씬 더 ~한[~하게]

Younha sings **much better than** the other students.

윤하는 나머지 학생들보다 훨씬 더 노래를 잘한다.

Plus+ | '훨씬'이라는 의미로 비교급을 강조할 때는, 비교급 앞에 much뿐 아니라, even, still, far, a lot 등의 강조 부사를 쓸 수 있어요.

Daily Test

[01~08] 영어는 우리말로, 우리말은 영어로 쓰세요.

01 go abroad _____

02 come in _____

03 instead of _____

04 lie down _____

05 ~을 설명하다 _____

06 ~ 때문에, ~으로 인해 _____

07 나쁜 습관을 고치다 _____

08 한 번에, 동시에 _____

[09~12] 빈칸에 알맞은 표현을 <보기>에서 한 번씩 골라 쓰세요. (필요하다면, 형태도 올바르게 고치세요.)

<보기> be satisfied with   make up one's mind   trip over   watch out for

09 The customers _____ their purchase.

그 고객들은 자신들의 구매에 만족한다.

10 Don't _____ those rocks.

저 돌들에 발이 걸려 넘어지지 마라.

11 I will _____ about the job.

나는 그 일자리와 관련해서 마음의 결정을 내릴 것이다.

12 _____ animals on the road.

도로 위에 있는 동물들을 조심하라.

[13~15] 문장에서 틀린 부분을 찾아 바르게 고치세요.

13 They travel from place and place in a bus. _____ → _____

그들은 버스를 타고 이곳저곳으로 여행을 다닌다.

14 An earthquake can hit at a time. _____ → _____

지진은 언제든 일어날 수 있다.

15 He promised being more prepared next time. _____ → _____

그는 다음 번엔 더 준비되어 있기로 약속했다.

[16~18] 빈칸에 올바른 표현을 써서 문장을 완성하세요.

16 _____, he found his money.

(그에게) 놀랍게도, 그는 자신의 돈을 찾았다.

17 _____ swimming at the lake today?

오늘 호수에서 수영하는 게 어때?

18 The street food is delicious. _____, it's cheap.

길거리 음식은 맛있다. 게다가, 그것은 저렴하다.

[19~20] 서술형 만점 표현을 활용하여 문장을 완성하세요.

19 The popularity of action movies is _____
that of horror movies.

액션 영화의 인기는 공포 영화의 인기보다 두 배 더 높다.

20 Saebom runs _____ me.

새봄이는 나보다 훨씬 더 빨리 달린다.

DAY 26

음성 바로 듣기

□□ 501
a couple of
두어 개의, 몇 개의
a couple(두 개) + of(~의) = 어떤 것의 두 개 정도

Didn't you buy new sneakers **a couple of** weeks ago? 교과서
너는 두어 주 전에 새 운동화를 사지 않았니?

□□ 502
around the corner
(거리·시간적으로) 임박한, 가까운
around(~을 돌아서) + the corner(모퉁이) = 모퉁이만 돌면 코앞에 있는

I'm anxious since the test is **around the corner**.
시험이 임박해서 나는 걱정이 된다.

□□ 503
be related to
~과 관련이 있다 ⊛ be connected to
be(~이다) + related(관련이 있는) + to(~에) = 무언가에 관련이 있다

The shirt design should **be related to** our motto.
셔츠 디자인은 우리의 좌우명과 관련이 있어야 한다.

□□ 504
blow down
(바람으로) ~을 쓰러뜨리다
blow(바람이 불다) + down(아래로) = 바람이 불어 무언가를 아래로 쓰러뜨리다

The storm couldn't **blow down** the brick house. 교과서
폭풍이 그 벽돌집을 쓰러뜨리지는 못했다.

□□ 505
by the way
그런데, 그나저나
by(~ 옆에) + the way(길) = 말하던 길 옆으로 잠깐 새자면, 즉, 그런데

I work at a bank. **By the way**, do you remember our history teacher?
난 은행에서 일해. 그나저나, 너 우리 역사 선생님 기억나니?

Plus+ by the way는 대화의 화제를 앞서 말하던 것과 전혀 다른 것으로 바꿀 때 쓰는 표현이에요.

□□ 506

do A a favor

A의 부탁을 들어주다, A에게 호의를 베풀다

do(해주다) + A + a favor(부탁) = A에게 부탁대로 해주다

Ryan, will you do me a favor?

Ryan, 나의 부탁을 들어줄래?

➕ ask A a favor A에게 부탁을 하다

□□ 507

gain weight

체중이 늘다, 살이 찌다 ⓨ put on weight ⓟ lose weight

gain(얻다) + weight(체중) = 살이 쪄서 체중을 얻다

Recently, you seemed to gain a little weight.

최근에, 너 살이 조금 찐 것 같아.

□□ 508

go across

~을 건너가다, ~을 횡단하다 ⓨ cross

go(가다) + across(건너서) = 길 등을 건너서 가다

When snakes go across a street, it might begin to rain. 교과서

뱀들이 길을 건너가면, 비가 오기 시작할지도 모른다.

□□ 509

how to + 동사원형

어떻게 ~하는지, ~하는 방법

how(어떻게) + to+동사원형(~하는 것) = 어떻게 ~하는 것인지

Do you know how to use that coffee machine? 교과서

너 그 커피 머신을 어떻게 사용하는지 아니?

Plus+   'how + 주어 + should + 동사원형'은 '어떻게 ~해야 할지'라는 의미를 나타내요.
I don't know **how I should fix** the computer.
저는 그 컴퓨터를 어떻게 고쳐야 할지 모르겠어요.

□□ 510

less than

~보다 적은, ~ 미만(의) ⓟ more than

less(더 적은) + than(~보다) = 무엇보다 더 적은

She usually spends less than one hour running.

그녀는 보통 달리는 데 한 시간 미만을 쓴다.

DAY 26

해커스 보카 중학 숙어

□□ 511
look for

~을 찾아보다, ~을 찾다 ⑨ search for

look(보다) + for(~을 위해) = 목표하는 것을 찾기 위해 계속 보다

Let's look for more information online. 교과서

온라인으로 더 많은 정보를 찾아보자.

□□ 512
on foot

걸어서, 도보로

on(~으로) + foot(발) = 발로 걸어서

Mr. Choi usually goes to work on foot.

Mr. Choi는 보통 걸어서 출근한다.

➕ **by bus** 버스로, 버스를 타고   **by subway** 지하철로, 지하철을 타고

□□ 513
pull over

(길 한 쪽에) 차를 세우다 ⑨ pull up

pull(당기다) + over(위로) = 차의 브레이크를 위로 당겨 차를 세우다

I was driving home but had to pull over immediately. 교과서

나는 집으로 운전하는 중이었지만 즉시 차를 세워야 했다.

□□ 514
to make matters worse

설상가상으로

to make(만들며) + matters(문제들) + worse(더 나쁜) = 문제들을 더 나쁘게 만들며

She was late to her own wedding. To make matters worse, it began to snow.

그녀는 자신의 결혼식에 늦었다. 설상가상으로, 눈이 오기 시작했다.

□□ 515
try on

(옷을) 입어 보다, (시험 삼아) 해 보다

try(한 번 해 보다) + on(~ 위에) = 몸 위에 옷을 한 번 입어 보다

Can I try on these white pants?

제가 이 흰색 바지를 입어 봐도 될까요?

□□ 516

wrap up

1. (선물 등을) 포장하다

wrap(싸다) + up(완전히) = 선물 등을 포장지로 완전히 싸다

Would you wrap up the gift for me?
저를 위해 선물을 포장해 주시겠어요?

2. (합의·회의 등을) 마무리 짓다

wrap(마치다) + up(완전히) = 합의나 회의 등을 완전히 끝마치다

They wrapped up the meeting quickly.
그들은 회의를 빠르게 마무리 지었다.

헷갈리는 함정 숙어

□□ 517

one another

(세 명 이상이) 서로

one(한 명) + another(또 다른 한 명) = 여러 명이 있을 때 한 명과 또 다른 한 명이 서로

We should help one another to make a good presentation. (교과서)
우리는 훌륭한 발표를 하기 위해 서로 도와야 한다.

➕ each other (대개 두 명이) 서로

VS

□□ 518

one after another

차례로, 잇따라 ㈜ one after the other

one(하나) + after(~ 뒤에) + another(또 하나) = 하나 뒤에 또 하나가 잇따라 나오는

One after another, the group members followed the woman's lead.
차례로, 그 단체의 구성원들은 그 여자의 지시를 따랐다.

서술형 만점 표현

□□ 519

비교급 + and + 비교급

점점 더 ~한, 점점 더 ~하게

The bear came closer and closer to us.
곰은 우리에게 점점 더 가까이 다가왔다.

□□ 520

The + 비교급 ~, the + 비교급 -

(더) ~할수록 더 -하다

The more you read, the smarter you become.
네가 책을 더 많이 읽을수록, 너는 더 똑똑해진다.

Daily Test

[01~08] 영어는 우리말로, 우리말은 영어로 쓰세요.

01 a couple of _____

02 blow down _____

03 on foot _____

04 wrap up _____

05 체중이 늘다, 살이 찌다 _____

06 ~과 관련이 있다 _____

07 (세 명 이상이) 서로 _____

08 설상가상으로 _____

[09~12] 빈칸에 알맞은 표현을 <보기>에서 한 번씩 골라 쓰세요. (필요하다면, 형태도 올바르게 고치세요.)

<보기>	pull over	go across	look for	try on

09 _____ the road and head into the first door.
길을 건너가서 첫 번째 문으로 들어가세요.

10 _____ a place to sit.
앉을 곳을 찾아라.

11 Let's _____ until it stops raining.
비가 그칠 때까지 길 한 쪽에 차를 세워두자.

12 It's better to _____ clothes before buying them.
옷을 사기 전에 그것을 입어 보는 것이 낫다.

[13~15] 문장에서 틀린 부분을 찾아 바르게 고치세요.

13 I was at the library for more than two hours. _____ → _____
나는 두 시간 미만 동안 도서관에 있었다.

14 My friend asked me a favor since I was sick. _____ → _____
내가 아파서 내 친구는 나의 부탁을 들어주었다.

15 The singers performed one another. _____ → _____
그 가수들은 차례로 공연했다.

[16~18] 빈칸에 올바른 표현을 써서 문장을 완성하세요.

16 Buy gifts now, since Christmas is _____.

크리스마스가 가까워오니, 지금 선물을 사세요.

17 _____, when will the movie end?

그나저나, 영화는 언제 끝나는 거야?

18 Do you know _____ a bicycle?

너는 자전거를 어떻게 타는지 아니?

[19~20] 서술형 만점 표현과 주어진 단어를 활용하여, 다음 글의 빈칸을 완성하세요.

19 _____ people have become interested in a healthy lifestyle. 20 _____ you exercise, the healthier you will become.

19 _____ (more)

20 _____ (more)

□□ 521
a pair of

(~의) 한 쌍, (~의) 한 벌, (~의) 한 켤레

a pair(한 쌍) + of(~의) = 두 개로 이루어진 어떤 것의 한 쌍

You can get **a pair of** jeans for $20.

당신은 청바지 한 벌을 20달러에 살 수 있습니다.

➕ in pairs (둘씩) 짝을 지어

□□ 522
be popular with

~에게 인기가 있다

be(~이다) + popular(인기 있는) + with(~에게) = 누군가에게 인기 있다

The picture of a cat **was popular with** girls.

그 고양이 사진은 여자아이들에게 인기가 있었다.

□□ 523
believe in

~을 믿다, ~을 신뢰하다

believe(믿다) + in(~ 안에) = 무언가의 안에 존재하는 힘을 믿다

She **believes in** her dream and works hard for it. 교과서

그녀는 자신의 꿈을 믿고 그것을 위해 열심히 노력한다.

□□ 524
blame A for B

B에 대해 A를 탓하다, B에 대해 A를 비난하다

blame(~를 탓하다) + A + for(~에 대해) + B = B에 대해 A를 탓하다

Jay's dad **blamed** himself **for** Jay's disease.

Jay의 아빠는 Jay의 병에 대해 자신을 탓했다.

□□ 525
bring back

~을 돌려주다, ~을 반납하다 ㊯ return

bring(가져가다) + back(다시) = 무언가를 다시 가져가서 돌려주다

Remember to **bring** the book **back** by July 4th.

7월 4일까지 그 책을 반납할 것을 기억하세요.

□□ 526

depend on

~에 달려 있다, ~에 의존하다 ⊕ count on, rely on

depend(따르다) + on(~에) = 어떤 요소에 따라 달려 있다

Whether you succeed or fail **depends on** your mind. (교과서)
당신이 성공할지 실패할지는 당신의 마음가짐에 달려 있다.

□□ 527

get a good grade

좋은 성적을 얻다 ⊕ get a bad grade

get(얻다) + a good grade(좋은 성적) = 좋은 성적을 얻다

Sujin is going to study hard to **get a good grade** on an exam. (교과서)
수진이는 시험에서 좋은 성적을 얻기 위해 열심히 공부할 것이다.

□□ 528

go over

~을 검토하다, ~을 점검하다 ⊕ look over, review

go(지나가다) + over(위로) = 서류나 문서 위로 눈이 계속 지나가다

He was **going over** his report card. (교과서)
그는 자신의 성적표를 검토하고 있었다.

□□ 529

how long

얼마나 오래 (~하는지)

how(얼마나) + long(오래) = 얼마나 오래

How long will you stay in Madrid?
당신은 얼마나 오래 마드리드에 머무르실 건가요?

➕ how often 얼마나 자주 (~하는지)

□□ 530

hundreds of

수백의

hundreds(수백) + of(~의) = 어떤 것의 수백 개

People have played the piano for **hundreds of years.** (교과서)
사람들은 수백 년 동안 피아노를 연주해왔다.

➕ thousands of 수천의

□□ 531
keep in touch (with)

(~와) 연락하고 지내다, (~와) 연락하다

keep(유지하다) + in(~의 상태에 있는) + touch(접촉) + with(~와)
= 누군가와 접촉 상태를 유지하다

Do you still keep in touch with Jimin?
너 아직도 지민이와 연락하고 지내?

□□ 532
pay back

(받은 것을) 갚다, (당한 것을) 되갚다

pay(갚다) + back(다시) = 받은 것을 다시 갚다

I'll pay the money back in three days.
제가 3일 안에 그 돈을 갚겠습니다.

□□ 533
put aside

1. ~을 따로 두다, ~을 한쪽에 치워 두다

put(두다) + aside(따로) = 무언가를 다시 쓸 때까지 따로 치워 두다

I put aside my cell phone when I study for exams. (교과서)
나는 시험 공부를 할 때 내 휴대폰을 한쪽에 치워 둔다.

2. ~을 저축하다

put(두다) + aside(따로) = 나중에 쓸 돈을 저축해서 따로 두다

She puts aside $100 a month.
그녀는 한 달에 100달러를 저축한다.

□□ 534
think over

~을 곰곰이 생각하다, ~을 심사숙고하다

think(생각하다) + over(다시) = 무언가를 여러 번 다시 생각하다

If we think things over, we may not regret our choices. (교과서)
여러 가지를 심사숙고한다면, 우리는 우리의 선택에 후회하지 않을 수도 있다.

□□ 535
turn around

(몸을) 돌리다, (반대로) 방향을 바꾸다

turn(돌리다) + around(빙 돌아서) = 몸을 빙 돌려서 반대 방향으로 바꾸다

He turned around and walked away from me. (교과서)
그는 몸을 돌려 나에게서 멀리 걸어갔다.

□□ 536

turn into

~으로 변하다, ~으로 바뀌다 ㉤ change into

turn(변하다) + into(~으로) = 다른 것으로 변하다

Solid butter melts and **turns into** a liquid. (교과서)
고체 버터는 녹아서 액체로 변한다.

➕ turn A into B A를 B로 변화시키다, A를 B로 바꾸다

헷갈리는 함정 숙어

□□ 537

at that moment

(과거·미래의) 그때, 그 순간에 ㉤ then

at(~에) + that(그) + moment(때) = 그때에

At that moment, a small insect flew at him. (교과서)
그때, 작은 벌레 한 마리가 그에게 날아왔다.

VS

□□ 538

at the moment

(바로) 지금, 당장은 ㉤ now, for the moment

at(~에) + the(이) + moment(때) = 바로 지금 이때에

Focus on what you're doing **at the moment**.
지금 당신이 하고 있는 것에 집중하라.

서술형 만점 표현

□□ 539

no (other) 단수명사 ~ 비교급 + than ···

그 어떤 -도 ···보다 ~하지 않다, 가장 ~한 -이다

No other animal is **bigger than** a blue whale.
그 어떤 동물도 대왕고래보다 크지 않다.

Plus+ '가장 ~한 -이다'라는 의미를 나타내기 위해, '그 어떤 -도 ···보다 ~하지 않다'라는 의미의 원급 표현 'no (other) 단수명사 ~ as + 원급 + as'를 쓸 수도 있어요.
No other animal is **as big as** a blue whale. 그 어떤 동물도 대왕고래만큼 크지 않다.

□□ 540

비교급 + than any other + 단수명사

다른 어떤 -보다 더 ~하다, 가장 ~한 -이다

Comedies are **more popular than any other** type of film.
코미디는 다른 어떤 영화 종류보다 더 인기 있다.

Plus+ '가장 ~한 -이다'라는 의미를 나타내기 위해, '다른 모든 -들보다 더 ~하다'라는 의미의 비교급 표현 '비교급 + than all the other + 복수명사'를 쓸 수도 있어요.
Comedies are **more popular than all the other** types of film.
코미디는 다른 모든 영화 종류보다 더 인기 있다.

Daily Test

[01~08] 영어는 우리말로, 우리말은 영어로 쓰세요.

01 believe in _____

02 bring back _____

03 turn around _____

04 put aside _____

05 ~을 검토하다 _____

06 ~에 달려 있다 _____

07 (받은 것을) 갚다 _____

08 ~을 심사숙고하다 _____

[09~12] 빈칸에 알맞은 표현을 <보기>에서 한 번씩 골라 쓰세요. (필요하다면, 형태도 올바르게 고치세요.)

> <보기>　　a pair of　　keep in touch with　　hundreds of　　be popular with

09 The game show _____ children.
그 게임 프로그램은 아이들에게 인기가 있다.

10 I _____ her through e-mail.
나는 이메일을 통해 그녀와 연락한다.

11 He bought _____ shoes for running.
그는 달리기를 위한 신발 한 켤레를 샀다.

12 She took _____ pictures of her family and friends.
그녀는 자신의 가족과 친구들의 사진을 수백 장 찍었다.

[13~15] 문장에서 틀린 부분을 찾아 바르게 고치세요.

13 The woman blamed her neighbor to the noise.　　_____ → _____
그 여자는 소음에 대해 자신의 이웃을 비난했다.

14 Wood turns over ash in a fire.　　_____ → _____
나무는 화염 속에서 재로 변한다.

15 It's snowing hard outside at that moment.　　_____ → _____
지금 밖에 눈이 많이 오고 있다.

[16~18] 빈칸에 올바른 표현을 써서 문장을 완성하세요.

16 _____ should we wait in line?

저희는 얼마나 오래 줄 서서 기다려야 하나요?

17 Steven _____ on his last science test.

Steven은 자신의 지난 과학 시험에서 좋은 성적을 얻었다.

18 _____, a falling star shot through the sky.

그 순간에, 유성 하나가 하늘을 쏜살같이 지나갔다.

[19~20] 서술형 만점 표현을 활용하여, 주어진 문장과 같은 의미가 되도록 빈칸을 완성하세요.

> History is the most difficult subject.
> 역사는 가장 어려운 과목이다.

19 = History is _____ than _____ subject.

역사는 다른 어떤 과목보다 더 어렵다.

20 = No other _____ is _____ than history.

그 어떤 과목도 역사보다 어렵지 않다.

음성 바로 듣기

☐☐ 541

agree with

~에(게) 동의하다 ⑫ disagree with

agree(동의하다) + with(~에게) = 누군가에게 동의하다

I **agree with** him. (교과서)

저는 그에게 동의해요.

➕ agree to + 동사원형 ~하기로 동의하다

☐☐ 542

at the beginning

처음에(는) ⑪ in the beginning

at(~에) + the beginning(시작) = 어떤 일의 시작에는

My team was winning **at the beginning** by four points.

우리 팀이 처음에는 4점 차이로 이기고 있었다.

☐☐ 543

be located in

~에 위치하다 ⑪ be located at

be(~이다) + located(위치한) + in(~에) = 어떤 장소에 위치하다

India **is located in** Asia. (교과서)

인도는 아시아에 위치해 있다.

☐☐ 544

before long

곧, 머지않아

before(~ 전에) + long(오래) = 오래 되기 전에 곧

The duck laid eggs. **Before long**, the eggs hatched. (교과서)

오리가 알을 낳았다. 머지않아, 그 알들은 부화했다.

☐☐ 545

believe it or not

믿거나 말거나, 믿기 힘들겠지만

believe(믿다) + it(그것) + or(혹은) + not(그렇지 않은) = 그것을 믿든 혹은 믿지 않든

Believe it or not, there are 7,641 islands in the Philippines.

믿기 힘들겠지만, 필리핀에는 7,641개의 섬이 있다.

546

deal with

~을 처리하다, ~을 해결하다 ⊕ manage, handle

deal(처리하다) + with(~에 대해) = 일이나 상황에 대해 처리하다

How did you **deal with** your problems? (교과서)
당신은 어떻게 당신의 문제들을 해결하셨나요?

547

get a job

일자리를 얻다, 취업하다

get(얻다) + a job(일자리) = 일자리를 얻다

She was afraid that she would never **get a job**.
그녀는 결코 일자리를 얻지 못할까 봐 두려웠다.

➕ lose one's job 일자리를 잃다, 실직하다

548

give off

(냄새·열·빛 등을) 내다, 내뿜다, 방출하다 ⊕ give out

give(주다) + off(벗어난) = 냄새나 열, 빛 등을 벗어난 곳으로 내주다

Humans **give off** carbon dioxide, which plants need.
인간은 이산화탄소를 방출하는데, 식물이 이것을 필요로 한다.

549

graduate from

~를 졸업하다

graduate(졸업하다) + from(~에서) = 특정 학교에서 졸업하다

My brother **graduated from** college four years ago. (교과서)
우리 오빠는 4년 전에 대학을 졸업했다.

550

hold back from -ing

~하는 것을 억제하다, ~하는 것을 망설이다

hold(막다) + back(뒤로) + from(~으로부터) + -ing(~하는 것)
= ~하는 것을 진행되는 것으로부터 뒤로 막다

Some people **hold back from** following dreams due to their fear.
몇몇 사람들은 그들의 두려움 때문에 꿈을 좇는 것을 망설인다.

➕ hold back ~을 방해하다, ~을 억제하다

□□ 551
next to

(위치) ~ 옆에, (순서) ~ 다음에

next(인접한) + to(~에) = 위치나 순서가 어떤 것에 인접한

The bank is **next to** the flower shop.
그 은행은 꽃집 옆에 있다.

□□ 552
play a role

역할을 하다, 한몫을 하다

play(행하다) + a role(역할) = 역할을 행하다

The sunlight **plays a** big **role** in the growth of plants.
햇빛은 식물의 성장에 큰 역할을 한다.

□□ 553
run away (from)

(~에서) 달아나다, (~에서) 도망치다

run(달리다) + away(멀리) + from(~에서) = 어딘가에서 멀리 달려가다

Horses can easily **run away from** danger. 교과서
말은 위험에서 쉽게 도망칠 수 있다.

□□ 554
tell A from B

A를 B와 구별하다

tell(~을 말하다) + A + from(~과) + B = A를 B와 구별해서 말하다

They will learn how to **tell** fact **from** opinion. 교과서
그들은 어떻게 사실을 의견과 구별하는지를 배울 것이다.

□□ 555
think back

돌이켜 생각해보다, 회상하다

think(생각하다) + back(다시) = 이전에 있었던 일에 대해 다시 생각하다

Think back on a computer game you liked.
당신이 좋아했던 컴퓨터 게임에 대해 돌이켜 생각해보아라.

□□ 556
turn over

~을 뒤집다, ~이 뒤집히다

turn(돌리다) + over(뒤집어) = 무언가를 반대 면으로 돌려서 뒤집다

The strong wind can even **turn over** cars. 교과서
강한 바람은 심지어 차들을 뒤집을 수도 있다.

헷갈리는 함정 숙어

on the side of

~의 옆(면)에, ~의 편을 들어

on(~에) + the side(옆면) + of(~의) = 무언가의 옆면에

Let's put a ladder **on the side of** the boat.
사다리를 작은 배의 옆에 두자.

VS

on the other side of

~의 반대편에(서)

on(~에서) + the other(반대쪽의) + side(편) + of(~의) = 무언가의 반대쪽 편에서

Today, we can talk with a person **on the other side of the earth.**
오늘날, 우리는 지구 반대편에 있는 사람과 이야기할 수 있다.

서술형 만점 표현

at + 시각

~에

Let's meet **at three o'clock** this afternoon.
오늘 오후 3시에 만나자.

Plus+   시간을 나타내는 전치사 at 뒤에는 구체적인 '시각'이나 '시점'을 나타내는 표현이 와요.
at two o'clock 2시 (정각)에   **at 6 a.m.** 오전 6시에   **at noon** 정오에

on + 요일/날짜

~에

I plan to draw some posters **on Saturday.**
나는 토요일에 포스터 몇 개를 그릴 계획이야.

➕ in + 월/계절/년/세기 ~에

Plus+   시간을 나타내는 전치사 on 뒤에는 '요일'이나 '기념일', '날짜' 등을 나타내는 표현이 오며, 시간을 나타내는 또 다른 전치사 in 뒤에는 '월', '계절', '년', '세기' 등 비교적 긴 기간을 나타내는 표현이 와요.
on Friday 금요일에   **on Christmas** 크리스마스에   **on June 6** 6월 6일에
in June 6월에   **in summer** 여름에   **in 2022** 2022년에
in the 20th century 20세기에

해커스 보카 중학 숙어

Daily Test

[01~08] 영어는 우리말로, 우리말은 영어로 쓰세요.

01 deal with _____

02 get a job _____

03 at the beginning _____

04 next to _____

05 곧, 머지않아 _____

06 ~를 졸업하다 _____

07 회상하다 _____

08 ~의 반대편에(서) _____

[09~12] 빈칸에 알맞은 표현을 <보기>에서 한 번씩 골라 쓰세요. (필요하다면, 형태도 올바르게 고치세요.)

<보기>   give off   be located in   run away from   hold back from

09 The White House _____ Washington, D.C.
백악관은 워싱턴 D.C.에 위치해 있다.

10 Nancy _____ asking more questions.
Nancy는 더 많은 질문을 하는 것을 망설였다.

11 The flowers _____ a lovely smell.
그 꽃들은 사랑스러운 향기를 내뿜는다.

12 People _____ the large waves.
사람들은 그 거대한 파도에서 도망쳤다.

[13~15] 문장에서 틀린 부분을 찾아 바르게 고치세요.

13 I agree for this article.   _____ → _____
나는 이 기사에 동의한다.

14 She can tell the real paintings of fake ones.   _____ → _____
그녀는 진짜 그림들을 가짜 그림들과 구별할 수 있다.

15 The price is printed on the other side of the box. _____ → _____
가격은 그 상자의 옆면에 인쇄되어 있다.

[16~18] 빈칸에 올바른 표현을 써서 문장을 완성하세요.

16 _____, the sun is about 93 million miles away.

믿기 힘들겠지만, 태양은 대략 9천 3백만 마일 떨어져 있다.

17 Greenhouse gases _____ in warming the planet.

온실가스는 지구를 뜨겁게 만드는 데 한몫을 한다.

18 _____ your cell phone while you study.

공부하는 동안에는 너의 휴대폰을 뒤집어 두어라.

[19~20] 서술형 만점 표현을 활용하여, 어법상 어색한 두 곳을 찾아 바르게 고치세요.

> My friends and I visited Paris for the holidays. It was my second visit to France. My first visit was in 2018. At Monday, we went to the Louvre Museum and saw many famous paintings. The next day, we went to the Eiffel Tower. It was wonderful. All of my friends had so much fun every day in Paris. And we arrived in Korea on 6 p.m. yesterday.

19 _____ → _____

20 _____ → _____

DAY 29

☐☐ 561

ahead of

~보다 앞선, ~의 앞에(서)

ahead(앞선) + of(~을) = 다른 것을 앞선

Lily's friends were ahead of the other players. (교과서)
Lily의 친구들은 나머지 선수들보다 앞서 있었다.

☐☐ 562

apply for

~에 지원하다, ~을 신청하다

apply(지원하다) + for(~을 위해) = 일자리 등을 위해 지원하다

I'd like to apply for a job in a food business.
저는 식품 업계에 있는 일자리에 지원하고 싶습니다.

☐☐ 563

be happy with

~에 행복하다, ~에 만족하다 ⊕ be satisfied with, be content with

be(~이다) + happy(행복한) + with(~에) = 어떤 것에 행복하다

I'm happy with our decisions. (교과서)
나는 우리의 결정들에 만족한다.

☐☐ 564

be supposed to
+ 동사원형

~하기로 되어 있다, ~해야 한다

be(~이다) + supposed(추측되는) + to+동사원형(~하는 것)
= 마땅히 ~하는 것으로 추측되다

You're supposed to make your bed. (교과서)
너는 너의 침대를 정리해야 한다.

☐☐ 565

be used as

~으로 사용되다

be(~이다) + used(사용되는) + as(~으로) = 어떤 목적이나 용도로 사용되다

The corn is used as food for farm animals.
옥수수는 농장 가축들을 위한 먹이로 사용된다.

□□ 566
cut off

~을 잘라내다, ~을 차단하다

cut(자르다) + off(~에서 떼어내어) = 붙어 있던 것에서 떼어내기 위해 자르다

You can cut off the legs of the long pants. 교과서

당신은 긴 바지의 다리 부분을 잘라낼 수 있습니다.

□□ 567
get married (to)

(~와) 결혼하다 🔊 be married (to)

get(~하게 되다) + married(결혼한) + to(~에게) = 누군가에게 결혼하게 되다

Taehee got married to Jihoon.

태희는 지훈이와 결혼했다.

□□ 568
hand down

(후세에) ~을 물려주다 🔊 pass down

hand(건네주다) + down(아래로) = 전통이나 유산을 아래 세대로 건네주다

This ring was handed down to me from my mom.

이 반지는 우리 엄마로부터 나에게 물려졌다.

□□ 569
help oneself (to)

(음식을) 마음껏 먹다

help(거들다) + oneself(스스로) + to(~으로) = 음식 앞으로 가서 스스로를 거들다

Help yourself to the chocolate cookies.

초콜릿 쿠키를 마음껏 먹으렴.

□□ 570
in spite of

~에도 불구하고 🔊 despite

in(~의 상태에 있는) + spite(원한) + of(~에 대해)
= 어떤 것에 대한 원한 상태에도 불구하고

In spite of her knee injuries, she kept on walking.

자신의 무릎 부상에도 불구하고, 그녀는 계속해서 걸었다.

Plus+ in spite of와 despite는 전치사로, 뒤에 명사 역할을 하는 것들이 와요. 반면, in spite of와 같은 의미를 지닌 although, though, even though는 접속사이기 때문에, 뒤에 '주어 + 동사' 형태가 와요.
Even though she had knee injuries, she kept on walking.
그녀는 무릎 부상을 입었지만, 그녀는 계속해서 걸었다.

해커스 보카 중학 숙어

☐☐ 571

one by one

한 개씩, 한 명씩, 차례로

one(한 개) + by(~ 옆에) + one(한 개) = 한 개를 끝내고 옆에 있는 한 개를 시작하는

The teacher counted the students **one by one**. (교과서)
선생님은 학생들을 한 명씩 세었다.

➊ little by little 조금씩

☐☐ 572

plenty of

많은, 다량의 ㉞ a lot of, lots of

plenty(풍부한 양) + of(~의) = 어떤 것의 풍부한 양만큼

When you take medicine, drink **plenty of** water.
약을 먹을 때에는, 많은 물을 마셔라.

☐☐ 573

set an alarm

알람을 맞추다

set(설정하다) + an alarm(알람) = 알람을 설정하다

Yuna **set an alarm** on her smartphone. (교과서)
유나는 자신의 스마트폰에 알람을 맞추었다.

☐☐ 574

take out

1. (밖에) ~을 내놓다

take(가져가다) + out(밖에) = 문 밖에 무언가를 가져가서 내놓다

You clean the kitchen, and I'll **take out** the trash.
네가 주방을 청소해. 그러면, 내가 밖에 쓰레기를 내놓을게.

2. (돈 등을) 인출하다

take(가져가다) + out(밖으로) = 계좌에서 돈을 인출해서 밖으로 가져가다

Elise **took** $50 **out** of her bank account.
Elise는 자신의 은행 계좌에서 50달러를 인출했다.

☐☐ 575

talk behind one's back

뒷담화를 하다, (몰래) 험담하다

talk(말하다) + behind(뒤에서) + one's(누군가의) + back(등)
= 누군가의 등 뒤에서 몰래 말하다

Some people **talk** about others **behind their back**. (교과서)
어떤 사람들은 다른 사람들에 대해 뒷담화를 한다.

해커스 보카 중학 숙어

□□ 576

upside down

(위아래가) 거꾸로

upside(윗면) + down(아래로) = 위에 있어야 할 윗면이 아래로 가 있는

The house in the painting is **upside down**. 교과서

그 그림 속의 집은 거꾸로 되어 있다.

헷갈리는 함정 숙어

□□ 577

the next day

(그) 다음 날에 ㈜ the following day

the next(그 다음의) + day(날) = 그 다음 날에

Juwon visited his friend's house **the next day**. 교과서

주원이는 다음 날에 친구의 집을 방문했다.

VS

□□ 578

the other day

(과거) 지난번에, 며칠 전에

the other(다른) + day(날) = 과거의 다른 어떤 날에

The other day, I had a very scary dream.

지난번에, 나는 정말 무서운 꿈을 꾸었다.

서술형 만점 표현

□□ 579

not A but B

A가 아니라 B ㈜ B instead of A

This jacket is **not** mine, **but** yours.

이 재킷은 제 것이 아니라, 당신의 것이에요.

Plus+ 문장의 주어가 not A but B 형태일 경우, 동사는 B에 수를 일치시켜요.
Not the gloves **but** the scarf **costs** 20 dollars. 장갑이 아니라 스카프가 20달러입니다.

□□ 580

not only A but (also) B

A뿐만 아니라 B도 ㈜ B as well as A

He is good at **not only** English **but also** Spanish. 교과서

그는 영어뿐만 아니라 스페인어도 잘한다.

Plus+ 문장의 주어가 not only A but (also) B 형태일 경우에도, 동사는 B에 수를 일치시켜요.
Not only Hyeri **but also** her sisters **are** home now.
혜리뿐만 아니라 그녀의 여동생들도 지금 집에 있다.

Daily Test

[01~08] 영어는 우리말로, 우리말은 영어로 쓰세요.

01 apply for   _____

02 be happy with   _____

03 plenty of   _____

04 take out   _____

05 ~을 차단하다   _____

06 (후세에) ~을 물려주다   _____

07 알람을 맞추다   _____

08 (그) 다음 날에   _____

[09~12] 빈칸에 알맞은 표현을 <보기>에서 한 번씩 골라 쓰세요. (필요하다면, 형태도 올바르게 고치세요.)

<보기>	upside down	in spite of	ahead of	one by one

09 People ran _____ each other into the store.
사람들은 서로 앞서서 가게 안으로 달려갔다.

10 _____ bad weather, the wedding continued.
궂은 날씨에도 불구하고, 결혼식은 계속되었다.

11 The staff cleaned hotel rooms _____.
직원들은 호텔 객실들을 차례로 청소했다.

12 The bats were hanging_____.
박쥐들이 거꾸로 매달려 있었다.

[13~15] 문장에서 틀린 부분을 찾아 바르게 고치세요.

13 He is supposed answering my questions.   _____ → _____
그는 나의 질문들에 대답해야 한다.

14 A new law was announced the next day.   _____ → _____
며칠 전에 새로운 법이 공표되었다.

15 Prince William got married with Kate Middleton.   _____ → _____
윌리엄 왕자는 케이트 미들턴과 결혼했다.

[16~18] 빈칸에 올바른 표현을 써서 문장을 완성하세요.

16 Please _____ to some cake.

케이크를 마음껏 드세요.

17 The cave _____ shelter by animals.

그 동굴은 동물들에 의해 피난처로 사용된다.

18 Don't _____ about other employees _____.

다른 직원들에 대해 몰래 험담하지 마세요.

[19~20] 서술형 만점 표현과 주어진 단어들을 활용하여, 우리말 뜻에 맞도록 문장을 완성하세요.

19 그는 배우일 뿐만 아니라 요리사이기도 하다. (an actor, a cook)

→ He is _____ .

20 그는 배우가 아니라 요리사이다. (an actor, a cook)

→ He is _____ .

정답 및 해석

01 ~에 지원하다, ~을 신청하다   02 ~에 행복하다, ~에 만족하다   03 많은, 다량의   04 (밖에) ~을 내놓다, (돈 등을) 인출하다   05 cut off   06 hand down
07 set an alarm   08 the next day   09 ahead of   10 In spite of   11 one by one   12 upside down   13 answering → to answer   14 next → other
15 with → to   16 help yourself   17 is used as   18 talk, behind their back   19 not only an actor but also a cook   20 not an actor but a cook

DAY 29 **183**

DAY 30

음성 바로 듣기

☐☐ 581

all day (long)

하루 종일

all(전체) + day(하루) + long(오랫동안) = 하루 전체만큼 오랫동안

In Beijing, it will rain all day long.
베이징에서는, 하루 종일 비가 내릴 것입니다.

➕ all night (long) 밤새도록

☐☐ 582

be absent from

~에 결석하다

be(~이다) + absent(결석한) + from(~에서) = 참여해야 하는 활동에서 결석하다

Why were you absent from practice yesterday?
넌 왜 어제 연습에 결석했니?

☐☐ 583

be from

~에서 오다, ~ 출신이다 ⓨ come from

be(~이다) + from(~에서) = 특정 지역이나 나라에서 온 사람이다

My friend Matt is from Canada. (교과서)
내 친구 Matt은 캐나다 출신이다.

☐☐ 584

be ready to + 동사원형

~할 준비가 되다 ⓨ be prepared to + 동사원형

be(~이다) + ready(준비된) + to+동사원형(~하는 것) = ~하는 것에 준비되다

Sodam is ready to present her project.
소담이는 자신의 프로젝트를 발표할 준비가 되어 있다.

➕ be ready for ~의 준비가 되다, ~에 대비하다

☐☐ 585

cut in (line)

(줄에서) 새치기하다

cut(자르다) + in(~ 안으로) + line(줄) = 줄을 자르고 그 안으로 들어가 서다

He looked annoyed because someone cut in line. (교과서)
그는 누군가가 새치기해서 짜증이 나 보였다.

---

get lost

길을 잃다 ⊕ be lost, lose one's way

get(~하게 되다) + lost(길을 잃은) = 길을 잃게 되다

My grandmother went out for a walk and **got lost.** (교과서)
우리 할머니께서는 산책을 나갔다가 길을 잃으셨다.

get off to a good start

좋은 출발을 하다, 잘 시작하다

get(~하게 되다) + off(벗어나) + to(~으로) + a good start(좋은 출발)
= 좋지 않은 상황을 벗어나 좋은 출발로 향하게 되다

How can we **get off to a good start?** (교과서)
우리는 어떻게 좋은 출발을 할 수 있을까?

hand in hand

1. (두 사람이) 서로 손을 잡고

hand(손) + in(~ 안에) + hand(손) = 서로의 손 안에 서로의 손이 있는

The couple walked **hand in hand.**
그 커플은 서로 손을 잡고 걸었다.

2. (두 가지가) 서로 밀접하게 연관된, 떼려야 뗄 수 없는

hand(손) + in(~ 안에) + hand(손) = 서로 손을 잡은 것처럼 서로 밀접하게 연결된

Bread and butter go **hand in hand.**
빵과 버터는 떼려야 뗄 수 없다.

have a chance to +동사원형

~할 기회가 있다 ⊕ get a chance to+동사원형

have(갖다) + a chance(기회) + to+동사원형(~하는 것) = ~하는 것에 대한 기회를 갖다

I haven't **had a chance to** go abroad.
나는 외국에 갈 기회가 없었다.

in search of

~을 찾아서, ~을 추구하여

in(~의 상태에 있는) + search(탐색) + of(~에 대해) = 목표물에 대해 탐색 상태에 있는

We left the tent **in search of** some firewood.
우리는 약간의 장작을 찾아서 텐트를 나섰다.

DAY 30

해커스 보카 중학 숙어

□□ 591

over and over

반복해서, 거듭 ⓐ over and over again, again and again

over(다시) + and(그리고) + over(다시) = 다시 그리고 다시

Lightning can hit the same spot over and over. (교과서)
번개는 동일한 지점을 반복해서 칠 수 있다.

□□ 592

prefer A to B

A를 B보다 선호하다, A를 B보다 좋아하다

prefer(~을 선호하다) + A + to(~에 비해) + B = B에 비해 A를 선호하다

I prefer peaches to apples. (교과서)
나는 복숭아를 사과보다 좋아한다.

➕ prefer to + 동사원형 ~하는 것을 (더) 선호하다

□□ 593

set foot

발을 들여놓다, 들어서다

set(놓다) + foot(발) = 어딘가에 발을 들여놓다

Koreans didn't want the Japanese to set foot in Jongno. (교과서)
한국인들은 일본인들이 종로에 들어서는 것을 원하지 않았다.

□□ 594

take one's time

여유를 갖다, 천천히 하다

take(갖다) + one's(자신의) + time(시간) = 자신만의 시간을 갖고 여유 있게 행동하다

Take your time. I'll wait at the bus stop.
천천히 해. 나는 버스 정류장에서 기다릴게.

□□ 595

the majority of

~의 대다수, ~의 대부분 ⓐ most of ⓑ the minority of

the majority(대다수) + of(~의) = 어떤 것의 대다수

The majority of people believed the earth was flat.
사람들의 대다수는 지구가 평평하다고 믿었다.

□□ 596

wake up

(잠에서) 깨어나다, 일어나다 ⓐ get up

wake(깨다) + up(위로) = 잠에서 깨서 몸을 위로 일으키다

I have to wake up early on Monday. (교과서)
나는 월요일에 일찍 일어나야 한다.

헷갈리는 함정 숙어

□□ 597

these days

요즘에(는), 근래에 ⊛ nowadays

these(이) + days(날들) = 지금과 가까운 이 날들에는

We spend much time outside **these days**.

요즘에 우리는 밖에서 많은 시간을 보낸다.

Plus+ | 지시대명사 these는 가까이 있는 대상을 나타내는 지시대명사 this의 복수형이므로, these days는 현재 시점과 가까운 '근래, 요즘'을 의미해요.

VS

□□ 598

in those days

(과거) 그 당시에는, 그 무렵에는

in(~에) + those(그) + days(날들) = 이미 멀리 지나온 과거의 그 날들에는

In those days, purses were called pocketbooks.

그 당시에는, 지갑은 포켓북(주머니 속의 책)이라고 불렸다.

Plus+ | 지시대명사 those는 멀리 있는 대상을 나타내는 지시대명사 that의 복수형이므로, those days는 현재 시점과 비교적 먼 '(과거) 그 당시, 그 무렵'을 의미해요.

서술형 만점 표현

□□ 599

either A or B

A나 B (둘 중 하나)

The bottle is designed to keep drinks **either** hot **or** cold.

그 병은 음료를 뜨겁거나 차갑게 유지하도록 설계되어 있다.

Plus+ | 문장의 주어가 either A or B 형태일 경우, 동사는 B에 수를 일치시켜요.
Either Hoon **or I am** going to go shopping for Christmas presents.
훈이나 나 둘 중 한 명이 크리스마스 선물을 위해 쇼핑을 갈 것이다.

□□ 600

neither A nor B

A도 B도 아닌, A도 B도 없는

He **neither** recognized me **nor** remembered my name.

그는 나를 알아보지도 내 이름을 기억하지도 않았다.

Plus+ | 문장의 주어가 neither A nor B 형태일 경우에도, 동사는 B에 수를 일치시켜요.
Neither the kid **nor** the puppies **were** in the house.
그 아이도 강아지들도 집에 없었다.

Daily Test

[01~08] 영어는 우리말로, 우리말은 영어로 쓰세요.

01 get lost _____

02 set foot _____

03 in search of _____

04 wake up _____

05 하루 종일 _____

06 ~할 준비가 되다 _____

07 좋은 출발을 하다 _____

08 ~의 대다수, ~의 대부분 _____

[09~12] 빈칸에 알맞은 표현을 <보기>에서 한 번씩 골라 쓰세요. (필요하다면, 형태도 올바르게 고치세요.)

<보기>	over and over	hand in hand	be from	be absent from

09 He _____ school because he was sick.
그는 아팠기 때문에 학교에 결석했다.

10 The new student _____ New Zealand.
새로운 전학생은 뉴질랜드 출신이다.

11 Halloween and horror movies go _____.
핼러윈과 공포 영화는 서로 밀접하게 연관되어 있다.

12 I read my favorite books _____.
나는 내가 가장 좋아하는 책들을 반복해서 읽는다.

[13~15] 문장에서 틀린 부분을 찾아 바르게 고치세요.

13 Seongbin had a chance to doing his dream job. _____ → _____
성빈이는 그가 꿈꾸던 일을 할 기회가 있었다.

14 Have your time. There's no rush. _____ → _____
천천히 해. 급할 것 없어.

15 In these days, people traveled on horses. _____ → _____
그 당시에는, 사람들이 말을 타고 이동했다.

[16~18] 빈칸에 올바른 표현을 써서 문장을 완성하세요.

16 It's rude to _____ .

새치기하는 것은 무례하다.

17 Do you _____ chocolate _____ vanilla?

당신은 초콜릿을 바닐라보다 좋아하시나요?

18 People spend lots of time on their phones _____ .

사람들은 요즘에 자신의 휴대폰에 많은 시간을 쓴다.

[19~20] 서술형 만점 표현을 활용하여 문장을 완성하세요.

19 I can go to a movie _____ today _____ tomorrow.

나는 오늘이나 내일 영화를 보러 갈 수 있다.

20 I can go to a movie _____ today _____ tomorrow.

나는 오늘도 내일도 영화를 보러 갈 수 없다.

DAY 31

음성 바로 듣기

□□ 601
all of
(~의) 전부 ⑲ none of

all(전부) + of(~중의) = 전체 중의 전부

A thief stole **all of** the jewelry in the shop. (교과서)
한 도둑이 그 가게에서 보석 전부를 훔쳤다.

□□ 602
be close to
~과 가깝다, ~에 근접하다

be(~이다) + close(가까운) + to(~에) = 위치, 시간, 관계 등이 비교 대상에 가깝다

The coffee shop **is close to** my apartment.
그 커피숍은 나의 아파트와 가깝다.

□□ 603
be divided into
~으로 나누어지다 ⑲ be separated into

be(~이다) + divided(나누어진) + into(~으로) = 전체가 여러 개로 나누어지다

The story **is divided into** three different books.
그 이야기는 세 권의 다른 책으로 나누어져 있다.

□□ 604
be full of
~으로 가득 차다 ⑲ be filled with

be(~이다) + full(가득 찬) + of(~으로) = 어떤 요소나 내용물로 가득 차다

The table **was full of** fruit and sandwiches. (교과서)
그 식탁은 과일과 샌드위치들로 가득 차 있었다.

□□ 605
count on
~를 믿다, ~에(게) 의지하다 ⑲ rely on, depend on

count(세다) + on(~ 위에서) = 누군가의 머리 위에서 돈을 셀 만큼 그 사람을 믿다

Count on me. I'll buy the concert tickets.
나를 믿어. 내가 콘서트 티켓을 살게.

□□ 606

get hurt

다치다, 부상을 입다 ㈌ be hurt

get(~하게 되다) + hurt(다친) = 다치게 되다

She looks after athletes when they **get hurt**. 교과서

그녀는 운동선수들이 부상을 입으면 그들을 보살핀다.

□□ 607

get old

(물건이) 낡다, (사람이) 나이가 들다

get(~하게 되다) + old(오래된) = 물건이나 사람이 오래된 상태가 되다

As the school desks are **getting old**, we've been receiving complaints.

학교 책상들이 낡아감에 따라, 저희는 항의를 받아오고 있습니다.

□□ 608

hand out

~을 나누어 주다, ~을 배포하다 ㈌ give out

hand(건네주다) + out(밖으로) = 갖고 있던 것을 밖으로 건네주다

The doctor visited Vietnam to **hand out** medicine. 교과서

그 의사는 약을 나누어 주기 위해 베트남을 방문했다.

□□ 609

have difficulty (in) -ing

~하는 데 어려움을 겪다 ㈌ have trouble (in) -ing

have(갖다) + difficulty(어려움) + in(~에) + -ing(~하는 것) = ~하는 것에 어려움을 갖다

Harry **has difficulty** study**ing** law. 교과서

Harry는 법학을 공부하는 데 어려움을 겪는다.

□□ 610

have no idea

(전혀) 모르다

have(~가 있다) + no(없는) + idea(생각) = 전혀 몰라서 아무런 생각이 없다

I **have no idea** where the entrance is.

나는 출입구가 어디인지 모른다.

□□ 611

in public

사람들 앞에서, 공개적으로 ㈊ in private

in(~ 안에) + public(대중들) = 대중들 안에 둘러싸여 그들이 보는 앞에서

Narae practiced talking to people **in public**. 교과서

나래는 사람들 앞에서 사람들에게 말하는 것을 연습했다.

□□ 612
pick up

1. ~을 집다, ~을 줍다, ~을 들어 올리다
pick(집다) + up(위로) = 떨어져 있는 것을 집어서 위로 들어 올리다

Pick up the garbage around you.
네 주변의 쓰레기를 주워라.

2. (차에) ~를 태우다, ~를 태우러 가다
pick(집다) + up(위로) = 데려갈 사람을 집어서 위로 올려 차에 태우다

Ms. Yoon has to **pick up** her son from school.
Ms. Yoon은 학교에서 자신의 아들을 태워 와야 한다.

3. ~을 사다, ~을 구입하다
pick(집다) + up(위로) = 살 물건을 위로 집어 들어 계산하다

We can **pick up** some food along the way.
우리는 가는 길에 약간의 음식을 살 수 있다.

□□ 613
provide A with B

A에게 B를 제공하다 ⓦ provide B for[to] A
provide(~에게 제공하다) + A + with(~에 대해) + B = A에게 B에 대해 제공하다

Our membership **provides** you **with** many benefits.
저희 회원권은 당신께 많은 혜택들을 제공합니다.

□□ 614
take a trip (to)

(~로) 여행을 가다 ⓦ go on a trip (to)
take(행하다) + a trip(여행) + to(~으로) = 특정 장소로 여행을 행하다

We **took a trip to** Tokyo last week. 교과서
우리는 지난주에 도쿄로 여행을 갔다.

□□ 615
take advantage of

~을 기회로 활용하다, ~을 이용하다 ⓦ make use of
take(취하다) + advantage(이익) + of(~에서) = 어떤 상황이나 기회에서 이익을 취하다

I want to **take advantage of** the store's holiday sale.
나는 그 가게의 명절 세일을 이용하고 싶다.

□□ 616

thank A for B

B에 대해 A에게 감사하다

thank(~에게 감사하다) + A + for(~에 대해) + B = A에게 B에 대해 감사하다

Thank you **for** your advice! (교과서)
당신의 조언에 대해 당신께 감사드립니다!

헷갈리는 함정 숙어

□□ 617

lead to

~으로 이어지다, ~을 초래하다 ⊕ result in

lead(이끌다) + to(~으로) = 어떤 결과로 이끌다

I learned that giving **leads to** happiness. (교과서)
나는 기부하는 것이 행복으로 이어진다는 것을 배웠다.

VS

□□ 618

lead A to B

A를 B로 이끌다, A를 B로 인도하다

lead(~를 이끌다) + A + to(~으로) + B = A를 B로 이끌다

The guide **led** us **to** the top of the mountain.
가이드는 우리를 산 정상으로 이끌었다.

서술형 만점 표현

□□ 619

both A and B

A와 B 둘 다, A와 B 모두

You can play badminton **both** indoors **and** outdoors.
당신은 실내와 야외 모두에서 배드민턴을 할 수 있습니다.

Plus+ | 문장의 주어가 both A and B 형태일 경우에는 항상 복수 동사를 써요.
Both he **and** his friend **have** a cat. 그와 그의 친구 둘 다 고양이가 있다.

□□ 620

whether ~ or not

1. ~인지 아닌지

I'm not sure **whether** he is happy **or not**.
나는 그가 행복한지 아닌지 잘 모르겠어.

Plus+ | 접속사 if도 '~인지 (아닌지)'라는 의미를 나타내지만, if 뒤에는 or not이 올 수 없어요.
I'm not sure **if** he is happy. (O) / I'm not sure **if** he is happy **or not**. (X)

2. ~이든 아니든

Whether it's good **or not**, I want to see my grade.
제 성적이 좋든 나쁘든, 저는 제 성적을 확인하고 싶습니다.

Daily Test

[01~08] 영어는 우리말로, 우리말은 영어로 쓰세요.

01 all of _____

05 ~으로 가득 차다 _____

02 get hurt _____

06 공개적으로 _____

03 hand out _____

07 ~을 기회로 활용하다 _____

04 lead to _____

08 (전혀) 모르다 _____

[09~12] 빈칸에 알맞은 표현을 <보기>에서 한 번씩 골라 쓰세요. (필요하다면, 형태도 올바르게 고치세요.)

<보기>	pick up	be close to	take a trip to	be divided into

09 The apartment _____ downtown.
그 아파트는 시내와 가깝다.

10 The musical play _____ two parts.
그 뮤지컬 공연은 두 파트로 나누어진다.

11 _____ that rock on the ground.
땅 위에 있는 저 돌을 주워라.

12 We will _____ Dubai for business.
우리는 업무를 위해 두바이로 여행을 갈 것이다.

[13~15] 문장에서 틀린 부분을 찾아 바르게 고치세요.

13 The school provides kids for free lunches.　　　_____ → _____
그 학교는 아이들에게 무료 점심을 제공한다.

14 The car is getting to old and not working well.　　　_____ → _____
그 자동차는 낡아가면서 제대로 작동되지 않고 있다.

15 The river can lead to you the ocean.　　　_____ → _____
그 강은 당신을 바다로 이끌 수 있다.

[16~18] 빈칸에 올바른 표현을 써서 문장을 완성하세요.

16 We must _____ her _____ the nice present.

우리는 그 멋진 선물에 대해 그녀에게 감사해야 해.

17 You can _____ me whenever you need help.

도움이 필요할 때면 언제든 너는 나에게 의지해도 돼.

18 Some politicians _____ keeping promises.

몇몇 정치인들은 약속을 지키는 데 어려움을 겪는다.

[19~20] 서술형 만점 표현을 활용하여, 우리말 뜻에 맞도록 주어진 단어들을 배치하여 문장을 완성하세요.

19 종현이는 노래하는 것과 춤추는 것을 둘 다 즐긴다.

→ Jonghyun _____.

    (singing, and, enjoys, both, dancing)

20 나는 그녀가 회의에 참석할 것인지 아닌지 궁금하다.

→ I wonder _____.

    (she, whether, the meeting, attend, will, or not)

정답 및 해석

01 (~의) 전부 02 다치다, 부상을 입다 03 ~을 나누어 주다, ~을 배포하다 04 ~으로 이어지다, ~을 초래하다 05 be full of 06 in public
07 take advantage of 08 have no idea 09 is close to 10 is divided into 11 Pick up 12 take a trip to 13 for → with
14 getting to old → getting old 15 lead to you the ocean → lead you to the ocean 16 thank, for 17 count on
18 have difficulty 또는 have difficulty in 19 enjoys both singing and dancing 20 whether she will attend the meeting or not

DAY 32

음성 바로 듣기

□□ 621

all of a sudden

갑자기, 별안간 ㊨ out of nowhere

all(전부) + of(~의) + a sudden(갑작스러운 일) = 갑작스러운 일의 전부

All of a sudden, a woman shouted with horror.

갑자기, 한 여자가 공포에 질려 소리쳤다.

□□ 622

be considered to
+동사원형

~하다고 여겨지다

be(~이다) + considered(여겨지는) + to+동사원형(~하는 것) = ~하는 것으로 여겨지다

He **is considered to** be the funniest comedian in Korea.

그는 한국에서 가장 웃긴 희극인이라고 여겨진다.

□□ 623

be different from

~과 다르다

be(~이다) + different(차이가 있는) + from(~과) = 비교 대상과 차이가 있다

Japanese **is different from** the Korean language. 교과서

일본어는 한국어와 다르다.

□□ 624

be famous for

~으로 유명하다 ㊨ be (well) known for

be(~이다) + famous(유명한) + for(~으로) = 고유한 특징 등으로 유명하다

Belgium **is famous for** its chocolate. 교과서

벨기에는 그곳의 초콜릿으로 유명하다.

□□ 625

be surrounded by

~에 둘러싸이다 ㊨ be surrounded with

be(~이다) + surrounded(둘러싸인) + by(~에 의해) = 무언가에 의해 둘러싸이다

The actor **is surrounded by** a lot of cameras. 교과서

그 배우는 수많은 카메라들에 둘러싸여 있다.

□□ 626

come to mind

(갑자기) 생각이 떠오르다 ㈜ spring to mind

come(오다) + to(~으로) + mind(머릿속) = 갑자기 생각이 머릿속으로 오다

One day, a great idea came to mind. (교과서)

어느 날, 멋진 아이디어 하나가 떠올랐다.

□□ 627

get sick

아프게 되다, 병에 걸리다 ㈜ fall sick

get(~하게 되다) + sick(아픈) = 아프게 되다

Mr. Han will get sick if he doesn't stop smoking. (교과서)

Mr. Han이 흡연을 그만두지 않는다면, 그는 병에 걸릴 것이다.

□□ 628

hang on

~에 걸려 있다, ~에 매달리다

hang(걸리다) + on(~에) = 어딘가에 걸려 있다

A beautiful painting was hanging on the wall.

한 폭의 아름다운 그림이 벽에 걸려 있었다.

□□ 629

have no choice but to + 동사원형

~할 수밖에 없다

have(~이 있다) + no(없는) + choice(선택지) + but(~ 외에는) + to+동사원형(~하는 것)
= ~하는 것 외에는 선택지가 없다

I have no choice but to wait until he comes.

나는 그가 올 때까지 기다릴 수밖에 없다.

➊ cannot help -ing ~하지 않을 수 없다, ~할 수밖에 없다
cannot (help) but + 동사원형 ~하지 않을 수 없다

□□ 630

in person

직접, 몸소

in(~의 형식으로) + person(개인) = 개인 대 개인의 형식으로 직접

He was excited to see the famous writer in person.

그는 그 유명한 작가를 직접 보게 되어 신이 났다.

631

put away

~을 치우다, ~을 없애다

put(두다) + away(멀리) = 필요 없는 것을 멀리 두어 치우다

Put away everything that distracts you.

너를 방해하는 모든 것을 치워라.

632

share A with B

B와 A를 공유하다, B와 A를 함께 쓰다

share(~을 공유하다) + A + with(~와) + B = A를 B와 공유하다

I **share** a room **with** my brother.

나는 내 남동생과 방을 함께 쓴다.

633

such as

(~과) 같은, 예를 들어 ⑨ like

such(그러한) + as(~과 같은) = 뒤에 나열되는 그러한 것들과 같은

Korean meals have side dishes, **such as** bulgogi or kimchi.

한국의 식사에는 불고기나 김치 같은 반찬들이 있다.

634

take a walk

산책하다 ⑨ go for a walk

take(행하다) + a walk(산책) = 산책을 행하다

I'm going to **take a walk** for a minute. 교과서

나는 잠깐 산책하러 갈 거야.

635

tend to + 동사원형

~하는 경향이 있다

tend(경향이 있다) + to+동사원형(~하는 것) = ~하는 경향이 있다

Many successful people **tend to** get up early.

많은 성공한 사람들은 일찍 일어나는 경향이 있다.

□□ 636

Why don't you
+ 동사원형?

~하는 게 어때?, ~하지 않을래? ㈜ How[What] about -ing?

Why(왜) + don't(~하지 않다) + you(너) + 동사원형(~하는 것)
= 넌 왜 ~하지 않니?, 즉, ~해보는 게 어때?

Why don't you join the movie club? 교과서

영화 동아리에 가입하는 게 어때?

헷갈리는 함정 숙어

□□ 637

keep (on) -ing

계속 ~하다 ㈜ continue -ing, continue to + 동사원형

keep(유지하다) + on(~을) + -ing(~하는 것) = ~하는 것을 계속 유지하다

I keep learning new facts. 교과서

나는 계속 새로운 사실들을 알게 된다.

VS

□□ 638

keep A from -ing

A가 ~하는 것을 막다, A가 ~하지 못하게 하다 ㈜ stop A from -ing

keep(막다) + A + from(~으로부터) + -ing(~하는 것) = A가 ~하는 것으로부터 막다

Social media **keeps** me **from** focusing on my studies. 교과서

소셜 미디어는 내가 공부에 집중하지 못하게 한다.

서술형 만점 표현

□□ 639

so that

~하기 위해, ~하도록

Jason ran to the bus stop **so that** he could catch the bus. 교과서

Jason은 버스를 잡아 타기 위해 버스 정류장으로 달렸다.

Plus+ 목적을 나타내는 부사절 접속사 so that은 뒤에 '주어 + 동사'가 오는 반면, 같은 의미를 가진 표현 in order to와 so as to는 뒤에 동사원형이 와요.
Jason ran to the bus stop **in order to[so as to]** catch the bus.
Jason은 버스를 잡아 타기 위해 버스 정류장으로 달렸다.

□□ 640

so + 형용사/부사 + (that)

너무 -해서 ~하다

I was **so** excited **that** I was dancing all day. 교과서

나는 너무 신이 나서 하루 종일 춤을 췄다.

Plus+ 결과를 나타내는 부사절 접속사 so + 형용사/부사 + (that) 또한 뒤에 '주어 + 동사'가 오며, that 앞에는 원인이 되는 내용이, that 뒤에는 결과가 되는 내용이 와요.

Daily Test 👆

[01~08] 영어는 우리말로, 우리말은 영어로 쓰세요.

01 get sick _____

02 take a walk _____

03 in person _____

04 come to mind _____

05 갑자기, 별안간 _____

06 ~으로 유명하다 _____

07 ~하는 경향이 있다 _____

08 계속 ~하다 _____

[09~12] 빈칸에 알맞은 표현을 <보기>에서 한 번씩 골라 쓰세요. (필요하다면, 형태도 올바르게 고치세요.)

> <보기> be different from hang on put away be surrounded by

09 American holidays _____ Canadian ones.
미국의 공휴일은 캐나다의 공휴일과 다르다.

10 We _____ trees in the forest.
숲 속에서 우리는 나무들에 둘러싸여 있었다.

11 A clock was _____ the wall.
시계가 벽에 걸려 있었다.

12 _____ your phone before you get in trouble.
곤란에 처하기 전에 당신의 휴대폰을 치우세요.

[13~15] 문장에서 틀린 부분을 찾아 바르게 고치세요.

13 Never share your password and others. _____ → _____
절대 다른 사람들과 비밀번호를 공유하지 마세요.

14 A taco is considered to being a Mexican dish. _____ → _____
타코는 멕시코 음식이라고 여겨진다.

15 My alarm keeps me on sleeping too late. _____ → _____
내 알람은 내가 너무 늦게까지 자지 못하게 한다.

[16~18] 빈칸에 올바른 표현을 써서 문장을 완성하세요.

16 _____ save us a table?

우리에게 테이블 하나를 잡아주지 않을래?

17 I _____ to move to a new apartment.

나는 새 아파트로 이사할 수밖에 없다.

18 Animals, _____ birds and squirrels, live in the park.

새와 다람쥐 같은 동물들이 그 공원에 산다.

[19~20] 서술형 만점 표현과 주어진 단어들을 활용하여, 우리말 뜻에 맞도록 문장을 완성하세요.

19 나는 운동하기 위해 일찍 일어난다. (so, that, exercise)

→ I wake up early _____.

20 Ollie는 너무 피곤해서 버스에서 잠이 들었다. (so, that, tired, fall asleep)

→ Ollie was _____ on the bus.

정답 및 해설
01 아프게 되다, 병에 걸리다 02 산책하다 03 직접, 몸소 04 (갑자기) 생각이 떠오르다 05 all of a sudden 06 be famous for 07 tend to+동사원형 08 keep (on) -ing 09 are different from 10 were surrounded by 11 hanging on 12 Put away 13 and → with 14 being → be 15 on → from 16 Why don't you 17 have no choice but to 18 such as 19 so that I can exercise 20 so tired that he fell asleep

DAY 33

□□ 641

all right

(상태가) 괜찮은

all(모두) + right(적절한) = 모두 적절하고 괜찮은 상태인

Are you all right?

너 괜찮니?

□□ 642

be busy with

~으로 바쁘다

be(~이다) + busy(바쁜) + with(~에 의해) = 어떤 일이나 상황에 의해 바쁘다

I'm busy with my group project. 교과서

나는 나의 그룹 프로젝트로 바쁘다.

➕ be busy -ing ~하느라 바쁘다

□□ 643

be crowded with

~로 붐비다, ~으로 복잡하다

be(~이다) + crowded(붐비는) + with(~으로) = 많은 사람들로 붐비다

The market is always crowded with travelers. 교과서

그 시장은 항상 여행객들로 붐빈다.

□□ 644

be disappointed with

~에(게) 실망하다, ~에 낙심하다 ㉤ be disappointed at

be(~이다) + disappointed(실망한) + with(~에) = 어떤 것에 실망하다

Bora thinks you may be disappointed with her.

보라는 네가 그녀에게 실망할지도 모른다고 생각해.

□□ 645

be sure (that)

~이라고 확신하다

be(~이다) + sure(확신하는) + that(~이라는 것) = ~이라는 것을 확신하다

I'm sure that you will do well in the play.

나는 네가 연극에서 잘할 것이라고 확신해.

➕ Be sure to + 동사원형 (명령문에서) 반드시 ~해라

646

come across

1. ~를 우연히 마주치다 ⊛ bump into

come(오다) + across(건너편에서) = 상대방과 내가 서로 건너편에서 오다가 마주치다

On my way to the shop, I **came across** my friend.

가게에 가는 길에, 나는 내 친구를 우연히 마주쳤다.

2. ~을 알게 되다, ~을 우연히 발견하다

come(오다) + across(가로질러) = 새로운 사실이 내 머릿속을 가로질러 들어오다

I **came across** some surprising facts. 교과서

나는 몇 가지 놀라운 사실들을 알게 되었다.

647

get to

~에 이르다, ~에 가다

get(~에 이르다) + to(~으로) = 어떤 장소로 가서 결국 그곳에 이르다

How can I **get to** the movie theater? 교과서

그 영화관에 어떻게 갈 수 있나요?

Plus+ | get 뒤에 전치사 to가 아니라 'to+동사원형(~하는 것)'이 오면 '~하게 되다'라는 의미를 가져요.
I'm sure you will **get to** like your teammates.
저는 당신이 당신의 팀원들을 좋아하게 될 것이라고 확신해요.

648

hang up

전화를 끊다

hang(걸다) + up(위에) = 전화를 끊고 전화기를 위에 다시 걸쳐두다

I didn't mean to **hang up** the phone.

나는 전화를 끊으려고 의도한 게 아니었어.

649

have an effect on

~에 영향을 미치다 ⊛ affect

have(~이 있다) + an effect(영향) + on(~에) = 어떤 것에 영향이 있다

Typhoons can **have** serious **effects on** cities.

태풍은 도시들에 심각한 영향을 미칠 수 있다.

650

in harmony with

~과 조화를 이루어, ~와 협력하여

in(~의 상태에 있는) + harmony(조화) + with(~과) = 다른 것과 조화의 상태에 있는

The house is **in harmony with** nature. 교과서

그 집은 자연과 조화를 이룬다.

□□ 651
regardless of
~에 상관없이

regardless(고려하지 않는) + of(~에 대해) = 어떤 것에 대해 고려하지 않고

We accept new members **regardless of** age.
우리는 연령에 상관없이 신규 회원들을 받아들인다.

□□ 652
sign up for
~에 가입하다, ~을 신청하다, ~에 등록하다 ⑨ register for

sign(서명하다) + up(완전히) + for(~을 위해) = 가입을 위해 신청서에 완전히 서명하다

You have to **sign up for** the dance class by May. 교과서
당신은 5월까지 무용 수업에 등록해야 합니다.

□□ 653
take a picture
사진을 찍다 ⑨ take a photo

take(얻다) + a picture(사진) = 사진을 찍어서 얻다

Can you **take a picture** of me? 교과서
제 사진을 찍어주실 수 있나요?

□□ 654
take a shower
샤워를 하다

take(행하다) + a shower(샤워) = 샤워를 행하다

You need to **take a shower** after swimming. 교과서
당신은 수영한 후에 샤워를 해야 합니다.

➊ take a bath 목욕을 하다

□□ 655
talk to
~에게 말을 걸다, ~와 대화를 하다

talk(말하다) + to(~에게) = 누군가에게 말하다

The student wanted to **talk to** her teacher. 교과서
그 학생은 그녀의 선생님과 대화를 하고 싶었다.

□□ 656
wish A good luck
A에게 행운을 빌어주다

wish(바라다) + A + good(좋은) + luck(운) = A에게 좋은 운이 있길 바라다

I **wish** you **good luck!** 교과서
내가 너에게 행운을 빌어줄게!

헷갈리는 함정 숙어

□□ 657

catch up with

1. (능력·수준) ~을 따라잡다, ~을 따라가다

catch(잡다) + up(완전히) + with(~와) = 누군가와의 차이를 완전히 따라잡다

She can **catch up with** her class by studying at home.
그녀는 집에서 공부함으로써 수업을 따라갈 수 있다.

2. (거리를) 따라잡다

catch(잡다) + up(완전히) + with(~와) = 누군가와의 거리를 완전히 따라잡다

When riding a bike, it's difficult to **catch up with** Sue.
자전거를 탈 때, Sue를 따라잡는 것은 어렵다.

VS

□□ 658

keep up with

1. (능력·수준) ~에 뒤지지 않다, ~을 따라가다

keep(유지하다) + up(완전히) + with(~와) = 누군가와 완전히 동등한 상태를 유지하다

He worked hard to **keep up with** others.
그는 다른 사람들에 뒤지지 않기 위해 열심히 노력했다.

2. (유행 등을) 따르다

keep(유지하다) + up(완전히) + with(~과) = 유행과 완전히 똑같은 스타일을 유지하다

The fashion designer **keeps up with** the latest trends.
그 패션 디자이너는 최신 유행을 따른다.

➕ keep up ~을 계속하다, ~을 유지하다

서술형 만점 표현

□□ 659

명령문, and ~

-해라. 그러면, ~

Try hard, **and** you'll reach your goals.
열심히 노력해라. 그러면, 너는 너의 목표를 달성할 것이다.

Plus+ | '명령문, and'는 조건의 의미를 포함하므로, 조건 접속사 if를 사용해서 바꿔쓸 수 있어요.
If you try hard, you'll reach your goals. 열심히 노력하면, 너는 너의 목표를 달성할 것이다.

□□ 660

명령문, or ~

-해라. 그렇지 않으면, ~

Put on your jacket, **or** you'll get a cold.
재킷을 입어라. 그렇지 않으면, 너는 감기에 걸릴 것이다.

Plus+ | '명령문, or'도 조건의 의미를 포함하므로, 조건 접속사 if를 사용해서 바꿔쓸 수 있어요.
If you don't put on your jacket, you'll get a cold.
재킷을 입지 않으면, 너는 감기에 걸릴 것이다.

Daily Test

[01~08] 영어는 우리말로, 우리말은 영어로 쓰세요.

01 all right _____

02 come across _____

03 get to _____

04 talk to _____

05 ~에 상관없이 _____

06 샤워를 하다 _____

07 사진을 찍다 _____

08 ~에(게) 실망하다 _____

[09~12] 빈칸에 알맞은 표현을 <보기>에서 한 번씩 골라 쓰세요. (필요하다면, 형태도 올바르게 고치세요.)

| <보기> | sign up for | keep up with | have an effect on | be crowded with |

09 The beach _____ tourists from all around the world.
그 해변은 전 세계에서 온 관광객들로 붐빈다.

10 Jenny tries to _____ the latest fashion trends.
Jenny는 최신 패션 트렌드를 따르기 위해 노력한다.

11 Your diet can _____ your health.
당신의 식단은 당신의 건강에 영향을 미칠 수 있다.

12 _____ our Spanish course online.
온라인으로 저희 스페인어 강좌에 등록하세요.

[13~15] 문장에서 틀린 부분을 찾아 바르게 고치세요.

13 The director is busy in his new movie. _____ → _____
그 감독은 자신의 신작 영화로 바쁘다.

14 Walk ahead and I'll catch with you later. _____ → _____
먼저 걸어가면 뒤에 내가 너를 따라잡을게.

15 I hung on the phone while she was talking. _____ → _____
나는 그녀가 말을 하고 있던 중에 전화를 끊었다.

[16~18] 빈칸에 올바른 표현을 써서 문장을 완성하세요.

16 I _____ him _____ in a card.

나는 엽서로 그에게 행운을 빌어주었다.

17 We should live _____ our environment.

우리는 우리의 환경과 조화를 이루어 살아가야 한다.

18 Scientists _____ the information is true.

과학자들은 그 정보가 사실일 것이라고 확신한다.

[19~20] 서술형 만점 표현을 활용하여, 주어진 문장과 동일한 의미가 되도록 빈칸을 완성하세요.

19 If you wash your hands often, you can prevent a cold.

= _____, _____ you can prevent a cold.

20 If you don't say sorry to him, you will get in trouble.

= _____, _____ you will get in trouble.

DAY 34

음성 바로 듣기

☐☐ 661

all the way

처음부터 끝까지, 줄곧

all(모두) + the way(길) = 어떤 길이나 방향의 시작부터 끝까지 모두

Follow the route **all the way** to the end, and you'll get to the mall. (교과서)

끝까지 줄곧 그 길을 따라가세요. 그러면, 당신은 쇼핑몰에 도착할 거예요.

☐☐ 662

be aware of

~을 알다, ~을 인지하다, ~을 의식하다

be(~이다) + aware(알고 있는) + of(~에 대해) = 어떤 것에 대해 알고 있다

Please **be aware of** the museum rules.

박물관의 규칙들을 인지해주세요.

☐☐ 663

be based on

~에 기반하다, ~을 바탕으로 하다

be(~이다) + based(기반을 둔) + on(~에) = 어떤 바탕이나 근거에 기반을 두다

The movie **is based on** the story of France's first queen.

그 영화는 프랑스 최초의 여왕에 관한 이야기를 바탕으로 한다.

☐☐ 664

be excited about

~에 신이 나다, ~에 들뜨다

be(~이다) + excited(신이 난) + about(~에 대해) = 어떤 일에 대해 신이 나다

I'm so **excited about** our visit to Jeju. (교과서)

나는 우리의 제주도 방문에 무척 신이 난다.

☐☐ 665

be sorry (that)

~이라는 사실에 대해 유감이다, ~이라는 사실에 대해 미안하다

be(~이다) + sorry(유감스러운) + that(~이라는 것) = ~이라는 것에 유감스럽다

I'm **sorry that** you didn't pass the driving test.

나는 당신이 운전면허 시험에 통과하지 못했다는 사실에 대해 유감이다.

➊ be sorry about ~에 대해 유감이다, ~에 대해 미안하다

□□ 666

cheer up

~가 기운을 내다, ~를 격려하다

cheer(응원하다) + up(생겨나) = 응원해서 없던 기운이 생겨나다

Cheer up. You'll have another chance.

기운을 내. 너에게 또 다른 기회가 있을 거야.

□□ 667

die of

~으로 죽다, ~으로 돌아가시다 ⊛ die from

die(죽다) + of(~으로 인해) = 특정한 원인이나 병으로 인해 죽다

My grandfather has **died of** a heart attack. (교과서)

우리 할아버지는 심장 마비로 돌아가셨다.

□□ 668

give a reward

보상금을 주다, 사례를 하다

give(주다) + a reward(보답) = 보답을 해 주다

She will **give a reward** to anyone who finds her ring. (교과서)

그녀는 자신의 반지를 찾아주는 사람이면 누구에게든 사례를 할 것이다.

➕ get a reward 보상(금)을 받다

□□ 669

have a seat

자리에 앉다, 착석하다 ⊛ take a seat, get a seat

have(갖다) + a seat(자리) = 자신의 자리를 갖게 되어 앉다

Go over there and **have a seat**, please.

저쪽으로 가서 자리에 앉아주세요.

□□ 670

in half

(절)반으로

in(~의 상태에 있는) + half(절반) = 절반의 상태에 있는

Next, fold a sheet of paper **in half**.

그다음, 종이 한 장을 반으로 접어라.

□□ 671

rely on

~에(게) 기대다, ~에(게) 의존하다 ⊛ depend on, count on

rely(기대다) + on(~에) = 어떤 것에 기대어 의존하다

We **rely on** reviews to improve our products.

우리는 우리의 제품을 개선하기 위해 후기에 의존한다.

□□ 672

shake hands (with)

(~와) 악수하다

shake(흔들다) + hands(손) + with(~와) = 누군가와 손을 마주잡고 흔든다

Our coach told us to **shake hands** before the game. 교과서

우리 코치님은 우리에게 경기 전에 악수하라고 말했다.

□□ 673

some of

~의 약간, ~의 몇몇, ~의 일부

some(약간) + of(~ 중의) = 전체 중의 약간

I will show you **some of** the old palaces in Korea.

나는 너에게 한국에 있는 고궁들의 일부를 보여줄 것이다.

□□ 674

suffer from

~으로 고통받다, ~에 시달리다

suffer(고통받다) + from(~으로부터) = 근심이나 병으로부터 고통받다

Many people have **suffered from** headaches. 교과서

많은 사람들이 두통으로 고통받아 왔다.

□□ 675

take care of

~를 돌보다, ~를 보살피다 ㈜ look after, care for

take(행하다) + care(돌봄) + of(~에 대해) = 누군가에 대해 돌봄을 행하다

I want to be an animal doctor to **take care of** sick animals. 교과서

나는 아픈 동물들을 돌보기 위해 수의사가 되고 싶다.

□□ 676

warm up

1. ~을 따뜻하게 하다, (추위를) 녹이다

warm(데우다) + up(위로) = 무언가를 따뜻하게 데워 온도를 위로 올리다

How do birds **warm** themselves **up** on cold days? 교과서

추운 날에 새들은 어떻게 그들 자신을 따뜻하게 하나요?

2. 몸을 풀다, 준비 운동을 하다

warm(따뜻해지다) + up(위로) = 따뜻해지도록 몸을 움직여서 체온을 위로 올리다

The runners are **warming up**. 교과서

주자들은 몸을 풀고 있다.

헷갈리는 함정 숙어

□□ 677

go on

VS

1. (상황 등이) 계속되다, 되어가다 ㉴ continue

go(가다) + on(진행되는) = 상황 등이 계속 진행되어 가다

The sale event goes on for four days. (교과서)

그 할인 판매 행사는 4일 동안 계속된다.

2. ~을 (하러) 가다

go(가다) + on(계속 ~하는) = 소풍이나 여행 등을 계속하기 위해 가다

I'm happy to go on a picnic. (교과서)

나는 소풍을 가게 되어 행복하다.

□□ 678

move on

(새로운 일·주제로) 나아가다, (다음으로) 넘어가다

move(옮겨가다) + on(계속 ~하는) = 새로운 것 또는 다음 것으로 옮겨가서 계속하다

They looked at the painting for so long before they moved on. (교과서)

그들은 다음 그림으로 넘어가기 전에 그 그림을 오랫동안 바라보았다.

서술형 만점 표현

□□ 679

that + 완전한 절

~이라는 것, ~하는 것

The problem is that you buy too many things. (교과서)

문제는 당신이 너무 많은 것들을 구입한다는 것이다.

Plus+ | 명사절 접속사 that은 주어, 동사, 목적어 등 문장의 필수 성분을 모두 갖춘 '완전한 절'을 이끌며, that이 이끄는 명사절은 문장에서 주어, 목적어, 보어 역할을 해요.

□□ 680

what + 불완전한 절

1. ~인 것, ~하는 것

What I like about the jacket is its color.

그 재킷에서 내 마음에 드는 것은 그것의 색상이다.

2. 무엇이 ~하는지, 무엇을 ~하는지

I wonder what happened last weekend.

나는 지난 주말에 무슨 일이 있었는지 궁금해.

Plus+ | 의문사 what은 그 자체가 절 내에서 주어, 목적어, 보어 역할을 하므로, 주어, 목적어 또는 보어가 없는 '불완전한 절'을 이끌어요. what이 이끄는 절도 문장에서 주어, 목적어, 보어 역할을 해요.

Daily Test

[01~08] 영어는 우리말로, 우리말은 영어로 쓰세요.

01 have a seat _____

02 cheer up _____

03 move on _____

04 some of _____

05 ~에 신이 나다 _____

06 (~와) 악수하다 _____

07 처음부터 끝까지, 줄곧 _____

08 ~으로 죽다 _____

[09~12] 빈칸에 알맞은 표현을 <보기>에서 한 번씩 골라 쓰세요. (필요하다면, 형태도 올바르게 고치세요.)

<보기>	suffer from	be based on	rely on	be aware of

09 You need to _____ other cars while driving.
당신은 운전 중에 다른 자동차들을 의식해야 한다.

10 The book _____ an old ghost story.
그 책은 오래된 유령 이야기를 바탕으로 한다.

11 The charity _____ donations.
그 자선단체는 기부금에 의존한다.

12 Dahye _____ horrible back pain.
다혜는 끔찍한 허리 통증에 시달렸다.

[13~15] 문장에서 틀린 부분을 찾아 바르게 고치세요.

13 The summer season moves on for three months. _____ → _____
하절기는 석 달 동안 계속된다.

14 The birthday cake was cut on half. _____ → _____
그 생일 케이크는 반으로 잘렸다.

15 I will get a reward for finding my puppy. _____ → _____
나는 내 강아지를 찾아주는 것에 대해 사례를 할 것이다.

[16~18] 빈칸에 올바른 표현을 써서 문장을 완성하세요.

16 I _____ my sister was rude to you.

제 여동생이 당신에게 무례했다는 사실에 대해 유감입니다.

17 Campers can _____ by a fire.

야영객들은 불로 추위를 녹일 수 있다.

18 The plants are drying, so please _____ them.

식물들이 말라가고 있으니, 그것들을 보살펴 주세요.

[19~20] 서술형 만점 표현을 활용하여, 어법상 어색한 두 문장을 찾아 바르게 고치세요.

> A: Do you know when the incident happened?
>
> B: I think it happened around 2 p.m.
>
> A: Do you remember that the robber was wearing?
>
> B: He was wearing a black shirt and a cap.
>
> A: Okay. Make sure what you tell me everything you saw.

19 _____ → _____

20 _____ → _____

01 자리에 앉다, 착석하다　02 ~가 기운을 내다, ~를 격려하다　03 (새로운 일·주제로) 나아가다, (다음으로) 넘어가다　04 ~의 약간, ~의 몇몇, ~의 일부
05 be excited about　06 shake hands (with)　07 all the way　08 die of　09 be aware of　10 is based on　11 relies on　12 suffered from
13 moves → goes　14 on → in　15 get → give　16 am sorry 또는 am sorry that　17 warm up　18 take care of　19 Do you remember that the robber was wearing? → Do you remember what the robber was wearing?　20 Make sure what you tell me everything you saw. → Make sure that you tell me everything you saw.

[19~20 해석]
A: 그 사건이 언제 일어났는지 알고 계시나요?
B: 그건 대략 오후 2시쯤 일어난 것 같아요.
A: 강도가 무엇을 입고 있었는지 기억하시나요?
B: 그는 검은색 셔츠를 입고 모자를 쓰고 있었어요.
A: 알겠습니다. 반드시 당신이 본 모든 것을 제게 말씀해주세요.

DAY 35

□□ 681

along with

~과 함께, ~에 덧붙여 ⑧ in addition to

along(나란히) + with(~와 함께) = 다른 것과 함께 나란히

Every winner was given a medal **along with** prize money.

모든 우승자는 상금과 함께 메달을 수여받았다.

□□ 682

be able to + 동사원형

~할 수 있다 ⑧ can + 동사원형

be(~이다) + able(할 수 있는) + to+동사원형(~하는 것) = ~하는 것을 할 수 있다

Some of the students **were able to** get into a university.

학생들 중 몇 명은 대학에 들어갈 수 있었다.

□□ 683

be ashamed of

~을 부끄러워하다, ~을 창피해하다 ⑧ be embarrassed about

be(~이다) + ashamed(부끄러운) + of(~에 대해) = 무언가에 대해 부끄러워하다

Don't **be ashamed of** losing. 교과서

패배를 부끄러워하지 마라.

□□ 684

be honest with

~에게 정직하게 하다 ⑱ be dishonest with

be(~이다) + honest(정직한) + with(~에게) = 누군가에게 정직하게 하다

Try to **be honest with** your parents.

당신의 부모님께 정직하게 하도록 노력해라.

□□ 685

be scared of

~을 무서워하다 ⑧ be afraid of

be(~이다) + scared(무서워하는) + of(~에 대해) = 무언가에 대해 무서워하다

The boy **is scared of** the large snake. 교과서

그 소년은 큰 뱀을 무서워한다.

□□ 686

bring about

~을 유발하다, ~을 초래하다 ㉮ cause, result in

bring(가져오다) + about(~ 주변에) = 주변에 어떤 일이 생기도록 가져오다

Changes in sea level can **bring about** many problems. (교과서)

해수면의 변화는 많은 문제들을 유발할 수 있다.

□□ 687

carry out

~을 완수하다, ~을 수행하다

carry(가지고 가다) + out(완전히) = 시작한 일을 끝까지 완전히 가지고 가다

You can **carry out** the tasks one by one.

당신은 그 과제들을 하나하나씩 완수할 수 있습니다.

□□ 688

give life to

~에 생명을 주다, ~에 활기를 불어넣다

give(주다) + life(생명) + to(~에) = 어떤 대상에 생명을 주다

Recycling can **give** new **life to** old things. (교과서)

재활용은 오래된 물건들에 새로운 생명을 줄 수 있다.

□□ 689

have respect for

~를 존경하다, ~를 공경하다

have(갖다) + respect(존경) + for(~에 대해) = 누군가에 대해 존경을 갖다

You should **have respect for** old people.

당신은 노인들을 공경해야 합니다.

□□ 690

in general

일반적으로, 보통

in(~에서) + general(일반적인) = 일반적인 상황에서

In general, people don't like to get into public arguments.

보통, 사람들은 공개 논의에 참여하는 것을 좋아하지 않는다.

remind A of B

A에게 B를 생각나게 하다, A에게 B를 연상시키다

remind(~에게 생각나게 하다) + A + of(~에 대해) + B = A에게 B에 대해 생각나게 하다

Popcorn reminds me of the movie theater.
팝콘은 나에게 영화관을 생각나게 한다.

spend A (on) -ing

~하는 데 A를 쓰다

spend(~을 쓰다) + A + on(~에) + -ing(~하는 것) = ~하는 것에 A를 쓰다

I had to spend an hour doing an English project.
나는 영어 과제를 하는 데 한 시간을 써야 했다.

Plus+ | '~하는 데 시간을 쓰다'는 'spend + 시간/기간 + (on) -ing'로, '~하는 데 돈을 쓰다'
는 'spend + 돈/액수 + (on) -ing'로 나타내요.
You shouldn't spend all that money on shopping.
당신은 그 모든 돈을 쇼핑하는 데 써서는 안 돼요.

step by step

단계적으로, 차근차근 ㉮ little by little

step(한 단계) + by(~ 옆에) + step(한 단계) = 한 단계 끝내고 옆 단계를 시작하는

Step by step, we began to make apple pie. 교과서
차근차근, 우리는 애플파이를 만들기 시작했다.

take a look (at)

(~을) 보다 ㉮ have a look (at)

take(행하다) + a look(보는 것) + at(~에 대해) = 어떤 대상에 대해 보는 행동을 하다

Do you mind if I take a look at your car?
제가 당신의 차를 봐도 될까요?

take responsibility for

~을 책임지다 ㉮ be responsible for, be in charge of

take(갖다) + responsibility(책임) + for(~에 대해) = 행동이나 일에 대해 책임을 갖다

We have to take responsibility for our behaviors. 교과서
우리는 우리의 행동들을 책임져야 한다.

□□ 696

turn on

(전기·가스 등을) 켜다 👥 turn off

turn(돌리다) + on(계속 ~하는) = 스위치를 돌려 전기나 가스가 계속 작동하게 만들다

I always **turn on** the heater in winter. (교과서)

나는 겨울에 항상 난방기를 켠다.

헷갈리는 함정 숙어

□□ 697

at last

결국, 마침내

at(~에) + last(마지막) = 마지막에는 결국

At last, we arrived in Taiwan. (교과서)

결국, 우리는 대만에 도착했다.

➕ at first 처음에는, 애초에

VS

□□ 698

at least

적어도, 최소한

at(~에) + least(최소) = 최소 시간이나 최소 수량에도

It'll take **at least** a week to fix the floor.

바닥을 수리하는 데 적어도 일주일이 걸릴 것이다.

➕ at most 기껏해야, 많아야

서술형 만점 표현

□□ 699

which + 불완전한 절

~하는 (것)

We sent you a $50 coupon **which** you can use on our website.

저희는 저희 웹사이트에서 사용하실 수 있는 50달러 쿠폰을 당신께 보냈습니다.

Plus+ | 관계대명사 which/who/that은 선행사 뒤에서 선행사를 수식하며, 주어나 목적어가 빠진 '불완전한 절'을 이끌어요. 참고로, 사람 선행사 뒤에는 who, 사물/동물 선행사 뒤에는 which, 그리고 모든 선행사 뒤에 that을 쓸 수 있어요.

□□ 700

where + 완전한 절

~하는 (장소), ~하는 (곳)

Markets are places **where** you can see local products. (교과서)

시장은 당신이 지역 특산품들을 볼 수 있는 장소입니다.

Plus+ | 관계부사 where/when/how/why가 이끄는 절은 각각 '장소(the place)', '시간(the time)', '방법(the way)', '이유(the reason)'를 나타내는 선행사 뒤에서 각 선행사를 부가 설명하며, 주어와 목적어를 모두 갖춘 '완전한 절'을 이끌어요.

Daily Test

[01~08] 영어는 우리말로, 우리말은 영어로 쓰세요.

01 bring about _____

02 in general _____

03 turn on _____

04 step by step _____

05 ~을 완수하다 _____

06 ~를 존경하다 _____

07 ~을 책임지다 _____

08 결국, 마침내 _____

[09~12] 빈칸에 알맞은 표현을 <보기>에서 한 번씩 골라 쓰세요. (필요하다면, 형태도 올바르게 고치세요.)

<보기>	be honest with	be scared of	be ashamed of	be able to

09 They _____ build the house in a month.
그들은 한 달 안에 그 집을 지을 수 있었다.

10 Some people _____ heights.
몇몇 사람들은 높은 곳을 무서워한다.

11 The actor _____ his bad performance.
그 배우는 자신의 형편 없는 연기를 부끄러워한다.

12 Always _____ your manager about your work.
당신의 업무에 관해 당신의 상사에게 항상 정직하게 하라.

[13~15] 문장에서 틀린 부분을 찾아 바르게 고치세요.

13 Let's take a look to the next exhibit. _____ → _____
다음 전시품을 보자.

14 Lions remind people for courage. _____ → _____
사자는 사람들에게 용기를 연상시킨다.

15 It takes at last a week to make the journey. _____ → _____
그 여행을 하는 데 적어도 일주일이 걸린다.

해커스 보카 중학 숙어

[16~18] 빈칸에 올바른 표현을 써서 문장을 완성하세요.

16 Members are given a free bag _____ a discount coupon.
회원들에게는 할인 쿠폰과 함께 무료 봉투가 제공된다.

17 Some new paintings _____ the room.
몇몇 새로운 그림들이 방에 활기를 불어넣었다.

18 We _____ an hour _____ the car.
우리는 세차하는 데 한 시간을 썼다.

[19~20] 서술형 만점 표현과 <보기>의 단어들을 활용하여, 우리말 뜻에 맞도록 주어진 두 문장을 한 문장으로 연결하세요.

<보기>	who	which	where	when	how	why

19 a. The man always talks on the phone. (그 남자는 늘 전화 통화를 한다.)
b. The man lives next door. (그 남자는 옆집에 산다.)

= _____.

(옆집에 사는 그 남자는 늘 전화 통화를 한다.)

20 a. London is the city. (런던은 도시이다.)
b. We can see Big Ben in the city. (우리는 그 도시에서 빅벤을 볼 수 있다.)

= _____.

(런던은 우리가 빅벤을 볼 수 있는 도시이다.)

01 ~을 유발하다, ~을 초래하다 02 일반적으로, 보통 03 (전기·가스 등을) 켜다 04 단계적으로, 차근차근 05 carry out 06 have respect for
07 take responsibility for 08 at last 09 were able to 10 are scared of 11 is ashamed of 12 be honest with 13 to → at 14 for → of
15 last → least 16 along with 17 gave life to 18 spent, washing 19 The man who lives next door always talks on the phone
20 London is the city where we can see Big Ben

DAY 36

음성 바로 듣기

□□ 701
as a result

결과적으로, 그 결과

as(~으로서) + a result(결과) = 결과로서

They did their best. **As a result**, they won the game.
그들은 최선을 다했다. 그 결과, 그들은 경기에서 승리했다.

□□ 702
as well

~ 또한, ~도

as(~만큼) + well(충분히) = 지금의 것도 기존의 것만큼 충분히

It's windy again and pretty cold **as well**.
다시 바람이 불며 상당히 춥기도 하다.

➊ B as well as A A뿐만 아니라 B도

□□ 703
at first

처음에는, 애초에

at(~에) + first(처음) = 처음에는

They didn't like each other **at first**, but later became friends.
그들은 처음에는 서로를 좋아하지 않았지만, 나중에는 친구가 되었다.

➊ at last 결국, 마침내

□□ 704
be important for

~에 (있어) 중요하다

be(~이다) + important(중요한) + for(~에 대해) = 어떤 것에 대해 중요하다

Sleep **is important for** the students' growth.
수면은 학생들의 성장에 있어 중요하다.

□□ 705
be replaced by

~에 의해 대체되다, ~으로 교체되다 ⑨ be replaced with

be(~이다) + replaced(대체된) + by(~에 의해) = 다른 것에 의해 대체되다

Human doctors may **be replaced by** AI machines.
인간 의사들은 인공 지능 기계들에 의해 대체될지도 모른다.

□□ 706
calm down

흥분을 가라앉히다, 진정하다

calm(가라앉히다) + down(아래로) = 흥분된 마음을 아래로 가라앉히다

Calm down and drink some water. (교과서)

진정하고 물 좀 마셔.

□□ 707
fall apart

허물어지다, 무너지다

fall(쓰러지다) + apart(분리된) = 충격에 의해 건물 등이 조각조각 분리되며 쓰러지다

The house **fell apart** after the storm.

그 집은 폭풍 이후에 무너졌다.

➕ far apart 멀리 떨어진

□□ 708
give away

~을 나누어 주다, ~을 배분하다 ⑩ give out

give(주다) + away(멀리) = 무언가를 멀리 있는 사람들에게까지 주다

They **gave away** candies to kids.

그들은 아이들에게 사탕을 나누어 주었다.

□□ 709
go ahead

(이야기를) 계속하다, (일을) 진행하다

go(가다) + ahead(앞으로) = 가던 길을 계속 앞으로 가다

Go ahead and tell us about your family.

계속해서 저희에게 당신의 가족들에 대해 이야기해주세요.

Plus+
> 상대방의 질문이나 요청을 호의적으로 받아들일 때도, 'Go ahead(그렇게 하세요/먼저 하세요)'로 대답할 수 있어요.
> A: Can I ask you something? 제가 당신에게 뭘 좀 물어봐도 될까요?
> B: Sure, **go ahead**. 그럼요. 그렇게 하세요.

□□ 710
have to do with

~과 관계가 있다

have to do(해야 한다) + with(~과) = 다른 것과 관계가 있어 함께 해야 한다

The details in the artwork **have to do with** the artist's thoughts. (교과서)

그 예술 작품의 세부 요소들은 예술가의 생각과 관계가 있다.

□□ 711

hold on to

~을 계속 잡다, ~을 고수하다

hold(잡다) + on(계속 ~하는) + to(~에) = 어떤 것에 손을 대고 계속 잡다

**If an earthquake happens when you are outside, do
not hold on to a telephone pole.**
만약 당신이 밖에 있을 때 지진이 일어난다면, 전봇대를 계속 잡고 있지 마세요.

➕ **hold on** 기다리다, 참아내다

□□ 712

in detail

상세하게, 낱낱이

in(~의 상태에 있는) + detail(세부 내용) = 세부 내용의 상태에 있는

We discussed many ideas in detail. 교과서
우리는 많은 아이디어들을 상세하게 논의했다.

□□ 713

run across

1. (지역 등을) 가로질러 흐르다

run(흐르다) + across(가로질러) = 특정 지역을 가로질러 흐르다

The Amazon runs across South America. 교과서
아마존강은 남아메리카를 가로질러 흐른다.

2. ~와 우연히 마주치다, ~을 우연히 발견하다 ⓨ come across

run(달리다) + across(저편에서) = 저편에서 달려오다가 어떤 대상과 우연히 마주치다

I ran across my old friend in my hometown.
나는 고향에서 나의 옛 친구와 우연히 마주쳤다.

□□ 714

stay away from

~에서 떨어져 있다, ~을 멀리 하다

stay(머무르다) + away(멀리) + from(~으로부터) = 어떤 장소로부터 멀리에 머무르다

My mom told me to stay away from the pool. 교과서
우리 엄마는 내게 수영장에서 떨어져 있으라고 말씀하셨다.

□□ 715

stay up

(늦게까지) 안 자다, 깨어 있다

stay(~인 채로 있다) + up(위로) = 늦게까지 안 자고 몸을 위로 일으킨 채로 있다

I always stay up late talking to my friend Sujeong. 교과서
나는 늘 내 친구 수정이와 대화하면서 늦게까지 깨어 있다.

□□ 716
wear out

닳다, (닳아서) 못 쓰게 되다

wear(닳다) + out(없어진) = 물건이 닳아서 쓸모가 없어지다

Change tires regularly since they wear out easily. 교과서
타이어는 쉽게 닳기 때문에 그것들을 주기적으로 교체해라.

헷갈리는 함정 숙어

□□ 717
take notes

필기하다, 메모하다

take(행하다) + notes(필기) = 보고 들은 내용에 대해 필기를 행하다

Sejin takes notes on his cell phone. 교과서
세진이는 자신의 휴대폰에 메모한다.

➕ **make a note of** ~을 필기하다, ~을 적어두다

VS

□□ 718
take note of

~에 주목하다, ~에 주의하다 유 take notice of

take(행하다) + note(주목) + of(~에 대해) = 어떤 것에 대해 주목을 행하다

We should take note of this serious problem.
우리는 이 심각한 문제에 주목해야 한다.

서술형 만점 표현

□□ 719
If + 주어 + 과거동사, 주어 + would + 동사원형

(지금) ~한다면 -할 텐데

If I traveled to space, I would go to the moon. 교과서
내가 우주로 여행을 간다면, 나는 달에 갈 텐데.

Plus+ | 'If + 주어 + 과거동사, 주어 + would + 동사원형'은 가정법 과거 구문으로, 현재의 사실을 반대로 가정해요.

□□ 720
If + 주어 + had + 과거분사, 주어 + would have + 과거분사

(과거에) ~했다면 -했을 텐데

If she had had the map, she would have found her way.
그녀가 지도를 가지고 있었다면, 그녀는 길을 찾았을 텐데.

Plus+ | 'If + 주어 + had + 과거분사, 주어 + would have + 과거분사'는 가정법 과거완료 구문으로, 과거의 사실을 반대로 가정해요.

Daily Test

[01~08] 영어는 우리말로, 우리말은 영어로 쓰세요.

01 calm down _____

02 give away _____

03 go ahead _____

04 have to do with _____

05 ~에 (있어) 중요하다 _____

06 상세하게, 낱낱이 _____

07 (늦게까지) 안 자다 _____

08 필기하다, 메모하다 _____

[09~12] 빈칸에 알맞은 표현을 <보기>에서 한 번씩 골라 쓰세요. (필요하다면, 형태도 올바르게 고치세요.)

<보기>	stay away from	at first	as well	be replaced by

09 The movie is funny and romantic _____.
그 영화는 웃기면서 로맨틱하기도 하다.

10 Diving was difficult _____ but got easier.
다이빙은 처음에는 어려웠지만 점점 쉬워졌다.

11 Signs said to _____ the cliff's edge.
표지판에는 절벽의 가장자리에서 떨어져 있으라고 적혀 있었다.

12 Paper books will _____ e-books.
종이책들은 전자책으로 대체될 것이다.

[13~15] 문장에서 틀린 부분을 찾아 바르게 고치세요.

13 We took notes of the number on the screen. _____ → _____
우리는 화면 위의 숫자에 주목했다.

14 Hold in to the handlebars of the bike. _____ → _____
자전거의 손잡이를 계속 잡으세요.

15 The earthquake made the building far apart. _____ → _____
지진은 그 건물을 무너지게 만들었다.

[16~18] 빈칸에 올바른 표현을 써서 문장을 완성하세요.

16 It rained a lot. _____, the baseball game was canceled.

비가 많이 왔다. 그 결과, 야구 경기가 취소되었다.

17 He _____ the information in an article.

그는 한 기사에서 그 정보를 우연히 발견했다.

18 As time goes by, everything _____.

시간의 흐름에 따라, 모든 것은 닳는다.

[19~20] 서술형 만점 표현과 주어진 단어들을 활용하여, 대화의 빈칸에 알맞은 표현을 쓰세요.

19 A: I'm not feeling well today.

B: If I _____ you, I would _____ at home. (be, take a rest)

20 A: I forgot to buy some milk for dinner.

B: If you _____ me earlier, I would _____ it. (tell, buy)

DAY 37

□□ 721

a group of

(~의) 무리, (~의) 집단

a group(한 무리) + of(~의) = 어떤 사람이나 동물의 한 무리

When I walked by the school, I met **a group of kids.** 교과서

학교 옆을 지나가면서, 나는 아이들 무리를 만났다.

□□ 722

(all) at once

1. 한꺼번에, 동시에

all(전부) + at(~에) + once(한 번) = 전부 한 번에

You can't focus well on many things **at once.**

당신은 동시에 여러 가지 것들에 집중을 잘할 수 없다.

2. 갑자기, 즉시

all(모두) + at(~에) + once(한 번) = 모두 한 번 만에 갑자기

It's not easy to change public opinion **all at once.**

갑자기 여론을 변화시키는 것은 쉽지 않다.

□□ 723

and so on

(기타) 등등, ~ 등 ⊕ and so forth

and(그리고) + so(그렇게) + on(계속 ~하는) = 그리고 그렇게 기타의 것들이 계속되는

Ancient Egyptians worked as laborers, farmers, craftsmen, **and so on.**

고대 이집트인들은 노동자, 농부, 공예가 등으로 일했다.

□□ 724

ask for

~을 요청하다, ~을 요구하다

ask(요청하다) + for(~에 대해) = 필요한 것에 대해 달라고 요청하다

Why didn't you **ask for** help?

당신은 왜 도움을 요청하지 않았나요?

□□ 725
be impressed by

~에 감명받다 ⊕ be impressed with

be(~이다) + impressed(감명받은) + by(~에 의해) = 무언가에 의해 감명받다

I **was impressed by** the fantastic performance.
나는 그 환상적인 공연에 감명받았다.

□□ 726
be open to

~에 개방적이다, ~의 여지가 있다

be(~이다) + open(열린) + to(~에) = 새롭고 낯선 것들에 열려 있다

I'm **open to** trying new things. (교과서)
나는 새로운 것들을 시도하는 것에 개방적이다.

□□ 727
break out

발생하다, 발발하다

break(터져 나오다) + out(밖으로) = 일이나 사건이 세상 밖으로 터져 나오다

Small fires **broke out** and burned the forest.
작은 화재들이 발생했고 숲을 태웠다.

□□ 728
come up with

(해결책 등을) 생각해 내다, 제시하다

come(생기다) + up(위로) + with(~에 대해) = 해결책 등에 대한 생각이 머리 위로 생기다

One day, Jihyun **came up with** a new plan. (교과서)
어느 날, 지현이는 새로운 계획을 생각해 냈다.

□□ 729
go beyond

~을 넘어가다, ~을 초과하다 ⊕ go above

go(가다) + beyond(~을 넘어서) = 수량이 특정 범위를 넘어가다

If you **go beyond** your budget, you can't complete your project.
만약 예산을 초과하면, 당신은 당신의 프로젝트를 완료할 수 없습니다.

□□ 730
hand over

~을 넘겨주다, ~을 양도하다

hand(건네주다) + over(너머에) = 저 너머에 있는 사람에게 무언가를 건네주다

Siwoo **handed over** his laptop and got the money. (교과서)
시우는 자신의 노트북을 넘겨주고 돈을 받았다.

head for

~을 향해 가다 ⊕ move toward

head(나아가다) + for(~을 향해) = 특정 방향이나 지점을 향해 나아가다

Only one student **headed for** the finish line.
오직 한 학생만이 결승선을 향해 갔다.

in a row

연이어, 일렬로, 잇달아 ⊕ one after another

in(~ 안에) + a row(한 줄) = 어떤 것이 한 줄 안에 연이어 있는

I'm so tired. I had three meetings **in a row**.
난 너무 피곤해. 난 회의 3개가 연이어 있었어.

run after

~을 뒤쫓다, ~을 추적하다 ⊕ chase after

run(달리다) + after(~을 뒤쫓아서) = 무언가를 뒤쫓아서 달리다

He **ran after** the bus to get his umbrella back.
그는 자신의 우산을 되찾기 위해 버스를 뒤쫓았다.

stand in line

줄을 서다, 줄 서서 기다리다 ⊕ wait in line

stand(서 있다) + in(~ 안에) + line(줄) = 기다리는 줄 안에 서 있다

I hate **standing in line** in cold weather. 교과서
나는 추운 날씨에 줄 서서 기다리는 걸 싫어해.

take a bus

버스를 타다

take(타다) + a bus(버스) = 버스를 타다

Let's **take a bus**. It takes only 15 minutes.
우리 버스를 타자. 15분밖에 안 걸려.

➕ take a taxi 택시를 타다 take a subway 지하철을 타다

□□ 736

take medicine
약을 먹다, 약을 복용하다
take(받아들이다) + medicine(약) = 약을 몸 안으로 받아들이다

Did you **take medicine** for your sore throat?
너 인후통 약 먹었니?

헷갈리는 함정 숙어

□□ 737

stop -ing
~하는 것을 멈추다 ⓨ quit -ing
stop(멈추다) + -ing(~하는 것) = ~하는 것을 멈추다

Stop using your phone while having dinner. (교과서)
저녁을 먹는 동안에는 휴대폰을 사용하는 것을 멈추어라.

VS

□□ 738

stop A from -ing
A가 ~하는 것을 막다, A가 ~하지 못하게 하다 ⓨ keep A from -ing
stop(~를 멈추게 하다) + A + from(~으로부터) + -ing(~하는 것)
= A가 ~하는 것으로부터 멈추게 하다

Nothing can **stop** her **from** dancing. (교과서)
그 무엇도 그녀가 춤추는 것을 막을 수 없다.

서술형 만점 표현

□□ 739

as if + 주어 + 과거동사
마치 ~한 것처럼 ⓨ as though + 주어 + 과거동사

The girls look scared, **as if** they **saw** a ghost.
그 여자아이들은 마치 유령을 본 것처럼 겁에 질려 보인다.

Plus+ | 'as if[though] + 주어 + 과거동사'는 주절의 시제와 '같은' 시점의 사실과 반대되는 일을 가정하는 한편, 'as if[though] + 주어 + had + 과거분사(p.p.)'는 주절의 시제보다 '앞선' 시점의 사실과 반대되는 일을 가정해요.
He acts **as if** nothing **had happened**. 그는 마치 아무 일도 없었던 것처럼 행동한다.

□□ 740

I wish + 주어 + 과거동사
~하면 좋을 텐데

I wish she **lived** close to me. (교과서)
그녀가 나와 가까이 산다면 좋을 텐데.

Plus+ | 'I wish + 주어 + 과거동사'는 '현재' 이룰 수 없거나 실현 가능성이 매우 적은 일을 소망할 때 쓰는 한편, 'I wish + 주어 + had + 과거분사(p.p.)'는 '과거'에 이루지 못했던 일을 소망할 때 써요.
I wish I **had bought** those jeans. 내가 그 청바지를 샀다면 좋을 텐데.

Daily Test

[01~08] 영어는 우리말로, 우리말은 영어로 쓰세요.

01 a group of _____

02 go beyond _____

03 stand in line _____

04 take medicine _____

05 ~을 요청하다 _____

06 ~에 개방적이다 _____

07 ~을 양도하다 _____

08 (해결책 등을) 제시하다 _____

[09~12] 빈칸에 알맞은 표현을 <보기>에서 한 번씩 골라 쓰세요. (필요하다면, 형태도 올바르게 고치세요.)

<보기>	head for	run after	and so on	at once

09 The application form includes a name, address, _____.
   그 신청서는 이름, 주소 등을 포함한다.

10 Many people started talking _____.
   여러 사람들이 동시에 이야기하기 시작했다.

11 Dajeong _____ the exit to go home.
   다정이는 집으로 가기 위해 출구를 향해 갔다.

12 My mom _____ my little sister.
   우리 엄마는 내 여동생을 뒤쫓았다.

[13~15] 문장에서 틀린 부분을 찾아 바르게 고치세요.

13 Several fights broke up in the crowd.   _____ → _____
   인파 속에서 몇 차례의 싸움이 발생했다.

14 The nurse worked late three nights on a row.   _____ → _____
   그 간호사는 연이어 3일 밤을 늦게까지 일했다.

15 Stop from talking during class, please.   _____ → _____
   수업 중에 이야기하는 것을 멈춰 주세요.

[16~18] 빈칸에 올바른 표현을 써서 문장을 완성하세요.

16 The judges _____ Irene's dance.

심사위원들은 Irene의 춤에 감명받았다.

17 The medicine _____ bacteria _____.

그 약은 박테리아가 성장하는 것을 막는다.

18 I _____ to work every day.

나는 매일 회사로 버스를 타고 간다.

[19~20] 서술형 만점 표현과 주어진 단어들을 활용하여, 우리말 뜻에 맞도록 문장을 완성하세요.

19 Jimmy는 마치 모든 것을 아는 것처럼 행동해.

→ Jimmy acts _____ everything. (as if, know)

20 내가 과거로 여행할 수 있다면 좋을 텐데.

→ I _____ to the past. (wish, can travel)

DAY 38

□□ 741
a kind of
(~의) 한 종류, (~의) 일종

a kind(한 종류) + of(~의) = 어떤 것의 한 종류

Bibimbap is a kind of Korean dish.
비빔밥은 한국 음식의 한 종류이다.

□□ 742
(a) part of
(~의) 한 부분, (~의) 일부

a part(한 부분) + of(~ 중의) = 전체 중의 한 부분

Managing difficulties is a part of life.
어려움을 처리하는 것은 삶의 일부이다.

□□ 743
all one's life
일생 동안, 평생

all(모든) + one's(한 사람의) + life(삶) = 한 사람의 삶의 모든 기간 동안

I've played the violin all my life, so I'm very good at it.
나는 평생 바이올린을 연주해왔기 때문에, 그것을 매우 잘한다.

□□ 744
as usual
평소처럼, 늘 그렇듯이

as(~처럼) + usual(평소의) = 평소처럼

The meeting will be held in room A as usual.
그 회의는 평소처럼 A 회의실에서 열릴 것이다.

□□ 745
be afraid of
~을 두려워하다 ⑪ be scared of

be(~이다) + afraid(두려운) + of(~에 대해) = 무언가에 대해 두려워하다

Don't be afraid of trying a new hobby. 교과서
새로운 취미를 시도해 보는 것을 두려워하지 마라.

➕ be afraid (that) ~일까 봐 두려워하다

□□ 746

be in good shape

건강하다, 컨디션이 좋다 (반) be in bad shape

be(~이다) + in(~에) + good(좋은) + shape(상태) = 건강해서 컨디션이 좋은 상태에 있다

I want to **be in good shape**, so I have healthy habits. (교과서)

나는 건강하고 싶기 때문에, 건강한 습관을 갖고 있다.

□□ 747

be named after

~의 이름을 따서 이름 지어지다

be(~이다) + named(이름 지어진) + after(~을 뒤쫓아서)
= 누군가의 이름을 뒤쫓아서 똑같이 이름 지어지다

Volcanoes **were named after** Vulcan, the god of fire. (교과서)

화산(Volcano)은 불의 신 Vulcan의 이름을 따서 이름 지어졌다.

➕ name A after B B의 이름을 따서 A를 이름 짓다

□□ 748

belong to

(사람이) ~에 속하다, (사물이) ~의 소유이다

belong(속하다) + to(~에) = 어떤 집단이나 누군가의 소유물에 속하다

We **belong to** an art club at school.

우리는 학교에서 한 미술 동아리에 속해 있다.

□□ 749

go down

1. 내려가다, 떨어지다

go(가다) + down(아래로) = 아래로 내려가다

On Friday, the temperature will **go down**.

금요일에는, 기온이 내려갈 것이다.

2. (길 등을) 따라서 가다

go(가다) + down(아래로) = 길 등을 따라서 아래로 가다

If you **go down** this road, you will find the supermarket.

이 길을 따라서 가면, 당신은 슈퍼마켓을 찾을 수 있을 거예요.

□□ 750

half of

(~의) 절반

half(절반) + of(~ 중의) = 전체 중의 절반

If we buy this TV, we will save **half of** our money. (교과서)

만약 우리가 이 TV를 사면, 우리 돈의 절반을 아낄 것이다.

➕ in half (절)반으로

□□ 751

help A with B

B에 대해 A를 돕다

help(~를 돕다) + A + with(~에 대해) + B = B에 대해 A를 돕다

I will **help** you **with** your homework. (교과서)
내가 네 숙제에 대해 너를 도와줄게.

□□ 752

in a minute

즉시, 금방, 곧 ㈜ in a second

in(~에) + a minute(1분) = 1분만큼 아주 짧은 시간에

I'll come back **in a minute**.
저는 금방 돌아올 거예요.

□□ 753

run into

1. ~로 뛰어 들어가다

run(뛰다) + into(~ 안으로) = 어떤 곳 안으로 뛰어 들어가다

Mia **ran into** the kitchen and found some candy.
Mia는 주방으로 뛰어 들어가서 약간의 사탕을 찾았다.

2. ~에 충돌하다 ㈜ bump into

run(달리다) + into(~으로) = 무언가에게로 달려가다가 그것에 충돌하다

The car **ran into** the wall.
그 차는 벽에 충돌했다.

3. ~와 우연히 마주치다, ~을 우연히 발견하다 ㈜ run across

run(달리다) + into(~으로) = 두 사람이 서로에게로 달려오다가 우연히 마주치다

I **ran into** a few people I've met before.
나는 전에 만난 적이 있는 몇 명의 사람들과 우연히 마주쳤다.

□□ 754

sound like

~처럼 들리다

sound(들리다) + like(~처럼) = 소리가 무엇처럼 들리다

The word doesn't **sound like** English.
그 단어는 영어처럼 들리지 않는다.

234 영어 실력을 높여주는 다양한 학습 자료 제공 HackersBook.com

□□ 755

take a class

수업을 받다, 수강하다 ㈜ take a course

take(받다) + a class(수업) = 수업을 받다

Minhyun is **taking a** cooking **class** at school. 교과서
민현이는 학교에서 요리 수업을 받고 있다.

□□ 756

take back

~을 다시 가져가다, ~을 회수하다

take(가져가다) + back(다시) = 판매하거나 내놓은 것을 다시 가져가다

The store didn't **take back** the broken bike it sold.
그 가게는 그곳이 판매한 고장 난 자전거를 회수하지 않았다.

헷갈리는 함정 숙어

□□ 757

live with

~와 함께 살다

live(살다) + with(~와 함께) = 다른 누군가와 함께 살다

I **live with** my parents and my older sister. 교과서
나는 부모님과 누나와 함께 산다.

VS

□□ 758

live by

(신념·원칙) ~에 따라 살다

live(살다) + by(~ 옆에) = 신념이나 원칙을 늘 옆에 두고 그것에 따라 살다

Many people **live by** hope. 교과서
사람들은 희망에 따라 산다.

서술형 만점 표현

□□ 759

So + (조)동사 + 주어

~도 그렇다

A: I'm a little thirsty now. 나 지금 목이 조금 말라.
B: **So am I.** 나도 그래.

Plus+ 앞서 나온 긍정문에 대해 동의할 때는 'So + (조)동사 + 주어'를, 앞서 나온 부정문에 대해 동의할 때는 'Neither + (조)동사 + 주어'를 써요.
A: I can't do it. 난 그것을 할 수 없어.
B: **Neither** can I. 나도 그렇지 않아(그것을 할 수 없어).

□□ 760

It is[was] ~ that -

-한 것은 바로 ~이다

It is family that is the most important thing. 교과서
가장 중요한 것은 바로 가족이다.

Plus+ 'It is[was] ~ that -' 구문에서 강조하고자 하는 대상은 is[was]와 that 사이에 와요.

Daily Test

[01~08] 영어는 우리말로, 우리말은 영어로 쓰세요.

01 be afraid of _____

02 go down _____

03 in a minute _____

04 take back _____

05 일생 동안, 평생 _____

06 늘 그렇듯이 _____

07 ~처럼 들리다 _____

08 (~의) 절반 _____

[09~12] 빈칸에 알맞은 표현을 <보기>에서 한 번씩 골라 쓰세요. (필요하다면, 형태도 올바르게 고치세요.)

<보기>	run into	belong to	a kind of	a part of

09 When the tree dies, it becomes _____ the ground again.
나무가 죽으면, 그것은 다시 땅의 일부가 된다.

10 Heat is _____ energy.
열은 에너지의 한 종류이다.

11 Sangwon and I _____ the same reading group.
상원이와 나는 같은 독서 모임에 속해 있다.

12 I _____ my sister at the store.
나는 그 가게에서 우리 언니와 우연히 마주쳤다.

[13~15] 문장에서 틀린 부분을 찾아 바르게 고치세요.

13 The city is naming after an old king. _____ → _____
그 도시는 옛 왕의 이름을 따서 이름 지어졌다.

14 My brother helped me in my report. _____ → _____
우리 오빠가 내 리포트에 대해 나를 도와주었다.

15 People live with their own principles. _____ → _____
사람들은 자신만의 원칙에 따라 산다.

[16~18] 빈칸에 올바른 표현을 써서 문장을 완성하세요.

16 Most athletes _____.

대부분의 운동선수들은 건강하다.

17 You should _____ to improve your writing skills.

너는 작문 실력을 향상시키기 위해 수업을 받아야 해.

18 Some people _____ their parents to save money.

어떤 사람들은 돈을 아끼기 위해 부모님과 함께 산다.

[19~20] 서술형 만점 표현을 활용하여, 우리말 뜻에 맞도록 대화를 완성하세요.

A: Did you guys see my sandwich? It was on the table about 10 minutes ago.

B: No, I didn't.

C: **19** 나도 보지 못했어. Did you look in the trash can?

A: I checked it but didn't find anything.

B: Oh, look! Aren't those crumbs by your dog?

A: Yes, you're right. **20** 내 샌드위치를 먹은 건 바로 나의 강아지였네!

19 _____ I.

20 It _____ that _____!

DAY 39

음성 바로 듣기

☐☐ 761

a long time ago

오래전에, 먼 옛날에

a long time(오랜 시간) + ago(~ 전에) = 오랜 시간 전에

Kim Sowol's poems were written **a long time ago.** 교과서

김소월의 시들은 오래전에 쓰였다.

☐☐ 762

a piece of

(~의) 한 조각

a piece(한 조각) + of(~ 중의) = 전체 중의 한 조각

Would you like to have **a piece of** bread? 교과서

빵 한 조각 드시겠어요?

Plus+ 우리나라에서 아주 쉬운 일을 '누워서 떡 먹기'라는 표현으로 나타내는 것처럼,
영어로 아주 쉬운 일은 'a piece of cake(케익 한 조각)'라는 표현으로 나타내요.
The test was **a piece of cake** for him. 그 시험은 그에게 아주 쉬운 것이었다.

☐☐ 763

add up

(조금씩) 늘어나다, ~을 합계하다

add(더하다) + up(위로) = 위로 더해져서 조금씩 늘어나다

Money **adds up** when we save it.

우리가 돈을 아끼면 돈은 조금씩 늘어난다.

☐☐ 764

around the world

전 세계에(서) ㈜ all over the world, across the world

around(~을 돌아서) + the world(세계) = 전 세계를 다 돌아서 보면

There are many poor people **around the world.** 교과서

전 세계에 많은 가난한 사람들이 있다.

☐☐ 765

be covered with

~으로 덮이다, ~으로 뒤덮이다

be(~이다) + covered(덮인) + with(~으로) = 무언가로 덮이다

The hills **are covered with** pink flowers. 교과서

그 언덕들은 분홍색 꽃들로 뒤덮여 있다.

□□ 766
be kind to

~에게 친절하다 ⑨ be friendly to

be(~이다) + kind(친절한) + to(~에게) = 누군가에게 친절하다

Hyobin **was kind to** everyone in her class. (교과서)
효빈이는 자기 반에 있는 모든 사람에게 친절했다.

□□ 767
be moved by

~에 감동받다, ~에 감명을 받다

be(~이다) + moved(움직인) + by(~에 의해) = 무언가에 의해 마음이 움직이다

I **was moved by** your amazing voice.
저는 당신의 굉장한 목소리에 감동받았어요.

□□ 768
be willing to+동사원형

기꺼이 ~하다

be(~이다) + willing(기꺼이 ~하는) + to+동사원형(~하는 것) = 기꺼이 ~하는 것을 하다

I **am willing to** wait in line all day. (교과서)
나는 기꺼이 하루 종일 줄 서서 기다릴 거야.

➕ be unwilling to+동사원형 ~하는 것을 꺼리다

□□ 769
go off the deep end

자제심을 잃다, 버럭 화를 내다

go(가다) + off(벗어난) + the deep end(수심이 깊은 곳)
= 수심이 깊은 곳처럼 절제되고 차분한 상태에서 벗어나다

Her mean words made him **go off the deep end.**
그녀의 무례한 말은 그가 자제심을 잃게 만들었다.

□□ 770
go on a diet

다이어트를 하다 ⑨ be on a diet

go(가다) + on(계속 ~하는) + a diet(다이어트) = 계속 다이어트 상태로 가다

My doctor told me to **go on a diet.**
나의 주치의는 내게 다이어트를 하라고 말했다.

□□ 771
here and there

여기저기에(서), 곳곳에(서)

here(여기에서) + and(그리고) + there(저기에서) = 여기저기에서

I don't like driving **here and there.**
나는 여기저기에서 운전하는 것을 좋아하지 않는다.

□□ 772

millions of

수백만의, 수많은

millions(수백만) + of(~의) = 어떤 것의 수백만 개

Every year, **millions of** animals are hit by cars. 교과서

매년, 수많은 동물들이 차에 치인다.

Plus+ 영어에서 큰 수를 표현하는 단위의 명칭은 '콤마의 개수'에 따라 달라져요.
- 1,000 (1천 / 콤마 1개) : thousand(s)
- 1,000,000 (1백만 / 콤마 2개) : million(s)
- 1,000,000,000 (1십억 / 콤마 3개) : billion(s)
- 1,000,000,000,000 (1조 / 콤마 4개) : trillion(s)

□□ 773

see a doctor

(의사의) 진찰을 받다, 병원에 가다

see(보다) + a doctor(의사) = 진찰을 받기 위해 의사를 보다

I should go and **see a doctor** to check my eye. 교과서

나는 나의 눈을 검사하기 위해 가서 진찰을 받아야 한다.

□□ 774

so far

지금까지

so(이 정도로) + far(~까지) = 지금 이 정도로 이르기까지

New technology has resulted in many changes in our lives **so far**. 교과서

새로운 기술은 지금까지 우리의 삶에 많은 변화들을 야기해왔다.

□□ 775

take A for granted

A를 당연하게 여기다

take(~을 받아들이다) + A + for(~으로) + granted(주어진)
= A를 주어진 것으로 당연하게 받아들이다

Don't **take** anything **for granted**. Always be thankful for everything.

어떤 것도 당연하게 여기지 마라. 항상 모든 것에 감사하라.

□□ 776

take one's order

~의 주문을 받다

take(받다) + one's(누군가의) + order(주문) = 누군가의 주문을 받다

Can I **take your order**?

제가 당신의 주문을 받아도 될까요?

헷갈리는 함정 숙어

☐☐ 777

above all

무엇보다도, 우선 ⊕ first of all, most of all, best of all

above(~보다 위에) + all(모든 것) = 중요도가 그 무엇보다도 위에 있는

Above all, be sure to make a great impression.

무엇보다도, 반드시 좋은 인상을 주어라.

VS

☐☐ 778

after all

결국에는, 어쨌든 ⊕ in the end

after(~ 뒤에) + all(모든 것) = 모든 것이 끝난 뒤에는

The closed factory didn't open again **after all**.

그 폐쇄된 공장은 결국에는 다시 문을 열지 않았다.

서술형 만점 표현

☐☐ 779

not ~ at all

결코 ~ 않는, 전혀 ~ 않는 ⊕ never

Designing new clothes is **not easy at all**. 〔교과서〕

새로운 옷을 디자인하는 것은 결코 쉽지 않다.

Plus+ 문장에 언급된 내용 전체를 부정할 때는 'not ~ at all'을 쓸 수 있고, 이는 'never(결코 ~ 않는)'로 바꾸어 쓸 수 있어요.
Designing new clothes is **never** easy. 새로운 옷들을 디자인하는 것은 결코 쉽지 않다.

☐☐ 780

not ~ any more [longer]

더 이상 ~ 않는, 더는 ~ 않는 ⊕ no more[longer]

They are **not** enemies **any more**.

그들은 더 이상 적이 아니다.

Plus+ 앞으로의 상황에 대해 부정할 때는 'not ~ any more[longer]'를 쓸 수 있고, 이는 'no more[longer](더는 ~ 않는)'로 바꾸어 쓸 수 있어요.
They are **no more** enemies. 그들은 더는 적이 아니다.

Daily Test

[01~08] 영어는 우리말로, 우리말은 영어로 쓰세요.

01 a piece of ＿＿＿＿＿＿＿＿

02 add up ＿＿＿＿＿＿＿＿

03 above all ＿＿＿＿＿＿＿＿

04 be kind to ＿＿＿＿＿＿＿＿

05 ~의 주문을 받다 ＿＿＿＿＿＿＿＿

06 여기저기에(서) ＿＿＿＿＿＿＿＿

07 수백만의, 수많은 ＿＿＿＿＿＿＿＿

08 자제심을 잃다 ＿＿＿＿＿＿＿＿

[09~12] 빈칸에 알맞은 표현을 <보기>에서 한 번씩 골라 쓰세요. (필요하다면, 형태도 올바르게 고치세요.)

<보기>　go on a diet　see a doctor　be moved by　be covered with

09 The path ＿＿＿＿＿＿＿＿＿＿ bright orange leaves.
그 길은 밝은 오렌지색 나뭇잎으로 뒤덮여 있다.

10 Yesterday, I ＿＿＿＿＿＿＿＿＿＿ her kindness.
어제, 나는 그녀의 친절함에 감동받았었다.

11 She will ＿＿＿＿＿＿＿＿＿＿ to lose some weight.
그녀는 살을 조금 빼기 위해 다이어트를 할 것이다.

12 You should ＿＿＿＿＿＿＿＿＿＿ if you feel sick.
아프면 당신은 병원에 가야 한다.

[13~15] 문장에서 틀린 부분을 찾아 바르게 고치세요.

13 I'm willing for drive you to the airport. ＿＿＿＿＿ → ＿＿＿＿＿
내가 기꺼이 너를 공항으로 태워다 줄게.

14 Too far, the team hasn't scored. ＿＿＿＿＿ → ＿＿＿＿＿
지금까지, 그 팀은 점수를 내지 못했다.

15 It didn't rain today above all. ＿＿＿＿＿ → ＿＿＿＿＿
결국에는 오늘 비가 오지 않았다.

[16~18] 빈칸에 올바른 표현을 써서 문장을 완성하세요.

16 _____, people used stars to navigate.

먼 옛날에, 사람들은 항해하기 위해 별을 이용했다.

17 My dream is to travel _____.

나의 꿈은 전 세계를 여행하는 것이다.

18 We shouldn't _____ each other _____.

우리는 서로를 당연하게 여겨서는 안 된다.

[19~20] 서술형 만점 표현을 활용하여, 주어진 문장과 같은 의미가 되도록 빈칸을 완성하세요.

19 I never expected to see him.

= I did _____ to see him _____.

20 There aren't people on the island any longer.

= There are _____ people on the island.

DAY 40

음성 바로 듣기

□□ 781

a set of

(~의) 한 세트

a set(한 세트) + of(~의) = 어떤 것의 한 세트

He bought **a set of** cards.
그는 카드 한 세트를 샀다.

□□ 782

a variety of

여러 가지(의), 갖가지(의)

a variety(여러 가지) + of(~의) = 어떤 것의 여러 가지

We provide **a variety of** services for free.
저희는 여러 가지 서비스를 무료로 제공합니다.

□□ 783

across from

~의 건너편에 (있는), ~의 맞은편에 (있는)

across(건너편에) + from(~에서) = 기준점에서 건너편에 있는

Gloria sits at the desk **across from** you, right?
Gloria는 네 맞은편에 있는 책상에 앉잖아, 그렇지?

□□ 784

after a while

얼마 후에, 잠시 후에

after(~ 뒤에) + a while(짧은 기간) = 짧은 기간 뒤에

After a while, she began loving her new job.
얼마 후에, 그녀는 자신의 새 직업을 좋아하기 시작했다.

□□ 785

be likely to + 동사원형

~할 것 같다

be(~이다) + likely(~할 것 같은) + to+동사원형(~하는 것) = ~할 것 같다

On Monday, it's **likely to** be rainy.
월요일에는, 비가 올 것 같다.

해커스 보카 중학 숙어

□□ 786

be lucky to + 동사원형

~한 것은 행운이다, ~하게 되어 다행이다

be(~이다) + lucky(행운인) + to+동사원형(~하는 것) = ~하는 것은 행운이다

You're **lucky to** have a new house.
당신이 새집을 갖게 된 것은 행운이에요.

➕ be fortunate to + 동사원형 ~하게 되어 운이 좋다

□□ 787

be made into

(가공되어) ~으로 만들어지다

be(~이다) + made(만들어진) + into(~으로)
= 원료나 소재가 가공되어 새로운 것으로 만들어지다

Some of the webtoons **are made into** movies. (교과서)
몇몇 웹툰들은 영화로 만들어진다.

□□ 788

be responsible for

~에 책임이 있다 ⊛ take responsibility for, be in charge of

be(~이다) + responsible(책임이 있는) + for(~에 대해) = 어떤 일에 대해 책임이 있다

We **are** all **responsible for** taking care of the planet.
우리는 모두 지구를 돌보는 것에 책임이 있다.

□□ 789

go to school

학교에 가다, 학교에 다니다

go(가다) + to(~으로) + school(학교) = 학교로 가다

Jiho rides his bike when he **goes to school**. (교과서)
지호는 학교에 갈 때 자전거를 탄다.

□□ 790

go to work

회사에 가다, 출근하다

go(가다) + to(~으로) + work(회사) = 회사로 가다

My mom **goes to work** at 10 a.m. and comes home
at 5 p.m.
우리 엄마는 오전 10시에 출근하시고 오후 5시에 집에 오신다.

□□ 791

hold up

~을 (위로) 떠받치다, ~에 견디다

hold(잡다) + up(위로) = 어떤 대상을 잡고 위로 받쳐 올리다

With training, we could **hold up** a person at last. (교과서)
훈련을 통해, 우리는 마침내 한 사람을 위로 떠받칠 수 있었다.

□□ 792

hope to + 동사원형

~하기를 희망하다, ~하기를 바라다 ⑨ wish to + 동사원형

hope(희망하다) + to+동사원형(~하는 것) = ~하는 것을 희망하다

Brad hopes to visit many countries in the future. 교과서

Brad는 미래에 여러 나라를 방문하기를 바란다.

□□ 793

set the table

밥상을 차리다

set(준비하다) + the table(식탁) = 식사를 위해 식탁을 준비하다

I made the soup and set the table.

나는 수프를 만들고 밥상을 차렸다.

□□ 794

show off

~을 자랑하다, ~을 뽐내다

show(보여주다) + off(벗어나) = 자신이 평균치에서 벗어나 있음을 보여주다

Don't miss this great chance to show off your magic skills!

당신의 마술 실력을 뽐낼 이 좋은 기회를 놓치지 마세요!

□□ 795

take a message

메시지를 받다

take(받다) + a message(메시지) = 전달되는 메시지를 받다

Sorry, she's not here. May I take a message? 교과서

죄송한데, 그녀는 여기에 없어요. 제가 메시지를 받아드릴까요?

➕ leave a message 메시지를 남기다

□□ 796

take A to B

A를 B로 데려가다, A를 B로 가져가다

take(~를 데려가다) + A + to(~으로) + B = A를 B로 데려가다

If you find him, please take him to the front desk.

만약 그를 찾으면, 그를 안내 데스크로 데려가 주세요.

헷갈리는 함정 숙어

☐☐ 797

as long as

1. (시간) ~만큼 오래

The toothfish can live **as long as** 50 years.
메로는 50년만큼 오래 살 수 있다.

2. ~하는 한 ⑧ so long as

You can borrow a book **as long as** you have your ID card.
신분증을 가지고 있는 한 당신은 책을 빌릴 수 있습니다.

VS

☐☐ 798

as far as

1. (거리·범위) ~만큼 멀리, ~까지

The rock has moved **as far as** 200 meters. 교과서
그 바위는 200미터까지 이동해 왔다.

2. ~하는 한

As far as I know, the sign-up period just began.
제가 아는 한, 등록 기간은 막 시작되었어요.

서술형 만점 표현

☐☐ 799

not always ~

항상 ~인 것은 아닌

What fires do is **not always** bad for people. 교과서
불이 하는 일이 항상 사람들에게 나쁜 것은 아니다.

Plus+ '모든 상황에서 그런 것은 아니다'라는 의미로 일부 상황을 부정할 때는 not always를 써서 나타낼 수 있어요.

☐☐ 800

not every ~

모든 ~이 -인 것은 아닌 ⑧ not all ~

Not every person is kind.
모든 사람이 친절한 것은 아니다.

Plus+ 일부 대상을 부정하는 not every 대신 not all을 쓸 수도 있지만, not every 뒤에는 '단수 명사', not all 뒤에는 '복수 명사'나 '불가산 명사'가 와요.
Not all people are kind. 모든 사람들이 친절한 것은 아니다.

Daily Test

[01~08] 영어는 우리말로, 우리말은 영어로 쓰세요.

01 a set of   _____

02 go to school   _____

03 after a while   _____

04 set the table   _____

05 ~에 책임이 있다   _____

06 회사에 가다, 출근하다   _____

07 메시지를 받다   _____

08 (거리·범위) ~까지   _____

[09~12] 빈칸에 알맞은 표현을 <보기>에서 한 번씩 골라 쓰세요. (필요하다면, 형태도 올바르게 고치세요.)

<보기>	show off	hold up	be lucky to	be likely to

09 The black car _____ win the race.
검은색 차가 경주에서 이길 것 같다.

10 Ms. Diaz _____ find her purse.
Ms. Diaz는 자신의 지갑을 찾게 되어 다행이었다.

11 That small chair couldn't _____ my teacher.
그 작은 의자는 우리 선생님을 떠받칠 수 없었다.

12 Some singers _____ their talent in the street.
몇몇 가수들은 거리에서 그들의 재능을 뽐낸다.

[13~15] 문장에서 틀린 부분을 찾아 바르게 고치세요.

13 Many people hope owning a home some day.   _____ → _____
많은 사람들은 언젠가 집을 소유하기를 바란다.

14 The book will be made from a television show.   _____ → _____
그 책은 텔레비전 쇼로 만들어질 것이다.

15 As much as we study hard, we will do better.   _____ → _____
우리가 공부를 열심히 하는 한, 우리는 더 잘하게 될 것이다.

[16~18] 빈칸에 올바른 표현을 써서 문장을 완성하세요.

16 The grocery store is _____ the café.

식료품점은 그 카페의 맞은편에 있다.

17 There are _____ dishes at the restaurant.

그 식당에는 여러 가지 음식들이 있다.

18 _____ your lunch box _____ school.

네 점심 도시락을 학교에 가져가렴.

[19~20] 서술형 만점 표현을 활용하여, 우리말 뜻에 맞도록 주어진 단어들을 배치하여 문장을 완성하세요.

19 모든 아이들이 사탕을 좋아하는 것은 아니다.

→ _____. (child, not, candies, likes, every)

20 부유한 사람들이 항상 행복한 것은 아니다.

→ _____. (always, are, not, people, happy, rich)

해커스북 ^{중·고등}

www.HackersBook.com

숙어 암기가 쉬워지는
핵심 전치사·부사

01. IN

① 위치·분야·내부
→ 비교적 규모가 넓은 '위치'나 '분야', 또는 '내부'를 의미하며, '~ 안에, ~ 안에서, ~에, ~에서'라고 해석한다.
② 방향·진입
→ 밖에서 안쪽 '방향'으로 '진입'하는 것을 의미하며, '~ 안으로, ~으로'라고 해석한다.
③ 상태
→ 특정한 '상태'에 있는 것을 의미하며, '~의 상태에 있는, ~의 상태로'라고 해석한다.
④ 형태·형식
→ 고유한 '형태'나 '형식'을 띄고 있는 것을 의미하며, '~의 형태로, ~의 형식으로'라고 해석한다.
⑤ 시간·기간
→ 특정한 '시간'에 또는 어떤 '기간' 안에 진행되는 것을 의미하며, '~에, ~ 동안에'라고 해석한다.

① 위치·분야·내부		
	□ be in good shape	건강하다 ← 건강해서 컨디션이 좋은 상태에 있다
	□ be interested in	~에 관심이 있다 ← 어떤 분야에 관심이 있다
	□ be located in	~에 위치하다 ← 어떤 장소에 위치하다
	□ be stuck in	~에 갇히다 ← 어떤 장소나 상황에 갇히다
	□ believe in	~을 믿다 ← 무언가의 안에 존재하는 힘을 믿다
	□ fall in love (with)	(~와) 사랑에 빠지다 ← 누군가와 사랑에 빠지다
	□ fill in	(서류·양식을) 작성하다 ← 글자를 써서 서류의 빈칸 안에 채우다
	□ fit in with	~와 잘 어울리다 ← 사람들과의 관계에서 어긋나지 않고 꼭 맞다
	□ get in	(안에) 들어가다 ← 어떤 장소 안에 이르다
	□ hand in hand	(두 사람이) 서로 손을 잡고 ← 서로의 손 안에 서로의 손이 있는
	□ have difficulty (in) -ing	~하는 데 어려움을 겪다 ← ~하는 것에 어려움을 갖다
	□ in a row	연이어 ← 어떤 것이 한 줄 안에 연이어 있는
	□ in front of	~의 앞에(서) ← 무언가에 대해 앞쪽에서
	□ in general	일반적으로 ← 일반적인 상황에서
	□ in many ways	여러 면에서 ← 여러 면에서
	□ in public	사람들 앞에서 ← 대중들 안에 둘러싸여 그들이 보는 앞에서
	□ in the air	공중에(서) ← 공중에서
	□ in the distance	저 멀리(서) ← 먼 거리에서
	□ in the middle of	~의 한가운데에서 ← 어떤 장소의 가운데에서
	□ keep A in mind	A를 기억하다 ← A를 마음 안에 두고 기억하다
	□ major in	~을 전공하다 ← 특정 과목에서 전공하다
	□ participate in	~에 참가하다 ← 모임이나 행사에 참가하다
	□ settle in	~에 정착하다 ← 어떤 장소에 자리를 잡고 정착하다

	□ stand in line	줄을 서다 ← 기다리는 줄 안에 서 있다
	□ succeed in	~에(서) 성공하다 ← 특정 영역이나 분야에서 성공하다
	□ take part in	~에 참여하다 ← 행사나 일에 참여해서 역할을 갖다
② 방향·진입	□ breathe in	숨을 들이쉬다 ← 숨을 안으로 들이쉬다
	□ bring in	~를 데려오다 ← 어떤 장소 안으로 누군가를 데려오다
	□ check in	(호텔) 숙박 수속을 하다 ← 신원을 확인해 호텔 안으로 들어가다
	□ come in	(안으로) 들어오다 ← 안으로 오다
	□ cut in (line)	(줄에서) 새치기하다 ← 줄을 자르고 그 안으로 들어가 서다
	□ give in	항복하다 ← 다른 사람에게로 승리를 내어주다
	□ hand in	(과제물·낼 것을) 제출하다 ← 과제물이나 낼 것을 제출함 안으로 건네다
	□ turn in	(서류 등을) 제출하다 ← 서류 등을 제출함 안으로 향하게 해서 내다
③ 상태	□ end in	~으로 끝나다 ← 어떤 결과 또는 상태로 끝나다
	□ have A in common	A를 공통점으로 갖다 ← A를 공통 상태로 갖다
	□ in a hurry	서두르는 ← 서두름의 상태에 있는
	□ in addition	추가로 ← 덧붙여서 추가된 상태에 있는
	□ in advance	미리 ← 다른 것보다 앞선 상태에서 미리
	□ in charge of	~을 책임지고 있는 ← 어떤 일에 대해 책임 상태에 있는
	□ in contrast	대조적으로 ← 대조되는 상태에 있는
	□ in danger	위험에 처한 ← 위험한 상태에 있는
	□ in detail	상세하게 ← 세부 내용의 상태에 있는
	□ in favor of	~에 찬성하여 ← 사안에 대해 찬성 상태에 있는
	□ in half	(절)반으로 ← 절반의 상태에 있는
	□ in harmony with	~과 조화를 이루어 ← 다른 것과 조화의 상태에 있는
	□ in need	어려움에 처한 ← 돈 등이 필요한 상태에 있어 어려움에 처한
	□ in particular	특별히, 특히 ← 특별한 상태에 있는
	□ in search of	~을 찾아서 ← 목표물에 대해 탐색 상태에 있는
	□ in spite of	~에도 불구하고 ← 어떤 것에 대한 원한 상태에도 불구하고
	□ in surprise	(깜짝) 놀라서 ← 놀람의 상태에 있는
	□ in trouble	곤경에 처한 ← 곤경의 상태에 있는
	□ keep in touch (with)	(~와) 연락하고 지내다 ← 누군가와 접촉 상태를 유지하다
	□ result in	(결과로) ~을 낳다 ← 결과적으로 상황이나 일이 어떤 상태로 끝나다

④ 형태·형식	☐ in fact	사실, 실제로 ← 사실의 형태로
	☐ in one's opinion	~의 의견으로는 ← 누군가의 의견의 형태로는
	☐ in other words	다시 말해서, 즉 ← 다른 말의 형태로 다시 말하면
	☐ in person	직접 ← 개인 대 개인의 형식으로 직접
	☐ in response to	~에 대한 반응으로 ← 자극에 대한 반응의 형태로
	☐ in return (for)	(~에 대한) 보답으로 ← 무언가에 대해 보답의 형태로
	☐ in short	간단히 말하면 ← 말을 짧고 간단한 형태로 하면
	☐ in the same way	같은 방식으로 ← 같은 방식의 형태로
	☐ in turn(s)	차례차례로 ← 차례가 있는 형식으로
⑤ 시간·기간	☐ in a minute	즉시 ← 1분만큼 아주 짧은 시간에
	☐ in case of	~의 경우에는 ← 무엇인 경우에는
	☐ in no time	즉시, 당장에 ← 시간이 없을 정도로 짧은 시간에 즉시
	☐ in the end	결국에는 ← 결국 어떤 일의 끝에는
	☐ in the future	미래에, 앞으로는 ← 다가올 미래에
	☐ in the middle of	~ (도)중에 ← 어떤 기간의 중간에
	☐ in the past	과거에, 이전에는 ← 지나간 과거에
	☐ in those days	(과거) 그 당시에는 ← 이미 멀리 지나온 과거의 그 날들에는
	☐ in time	제시간에 ← 예정된 시간에

02. OUT

① 위치·외부
→ 밖이라는 '위치'나 '외부'를 의미하며, '밖에, 밖에서'라고 해석한다.

② 탈출·이탈
→ '안에서 밖으로 '탈출'하거나 있어야 할 곳에서 '이탈'한 것을 의미하며, '밖으로, 벗어난'이라고 해석한다.

③ 감소·고갈
→ 있던 것을 밖으로 내보내서 '감소'하거나 '고갈'된 것을 의미하며, '(다) 떨어진, 없어진'이라고 해석한다.

④ 전체
→ 하나도 빠짐 없이 '전체'를 해내는 것을 의미하며, '완전히, 전부'라고 해석한다.

① 위치·외부	□ eat out	외식하다 ← 밖에서 밥을 먹다
	□ get out (of)	(~에서) 나가다 ← 어떤 장소에서 밖에 이르다
	□ go out	(밖에) 나가다 ← 밖에 나가다
	□ hang out (with)	(~와) 어울려 다니다 ← 밖에서 친구들과 함께 매달려 다니다
	□ put out	(밖에) 내놓다 ← 무언가를 밖에 내다 놓다
	□ set out	(여행을) 시작하다 ← 여행이나 새로운 일을 시작하기 위해 발을 문밖에 두다
	□ take out	(밖에) ~을 내놓다 ← 문 밖에 무언가를 가져가서 내놓다
	□ watch out (for)	(~을) 조심하다 ← 위험을 조심하기 위해 밖을 살피다
② 탈출·이탈	□ break out	발생하다 ← 일이나 사건이 세상 밖으로 터져 나오다
	□ call out	(큰 소리로) ~를 부르다 ← 입 밖으로 큰 소리를 내서 누군가를 부르다
	□ check out	(책 등을) 빌리다 ← 확인을 거쳐 빌릴 책을 밖으로 가져가다
	□ come out (of)	(~에서) 나오다 ← 원래 있던 곳에서 밖으로 나오다
	□ cry out	소리를 지르다 ← 입 밖으로 큰 소리를 내서 울부짖다
	□ cut out	~을 잘라내다 ← 종이 밖으로 똑 떨어져 나가도록 무언가를 잘라내다
	□ figure out	~을 알아내다 ← 깊이 생각하여 드러나지 않던 것을 밖으로 알아내다
	□ find out	~을 찾아내다 ← 사실이나 정보를 찾아서 밖으로 드러나게 하다
	□ give out	(소리·빛·냄새 등을) 내다, 발산하다 ← 소리나 빛, 냄새를 밖으로 내다
	□ hand out	~을 나누어 주다 ← 갖고 있던 것을 밖으로 건네주다
	□ out of hand	손 쓸 수 없는 ← 통제자의 손에서 벗어난
	□ out of nowhere	난데없이 ← 어딘지 모를 곳에서 난데없이 밖으로 나온
	□ out of order	고장 난 ← 정상 상태에서 벗어나 고장 난
	□ out of sight	보이지 않는 곳에 (있는) ← 시야에서 벗어난
	□ pass out	나누어 주다 ← 자신의 손 안에 있는 것을 밖으로 건네주다
	□ pick out	~을 골라내다 ← 특정한 것을 밖으로 골라내다
	□ point out	(문제·실수를) 지적하다 ← 문제나 실수를 콕 집어 밖으로 드러내다

		□ **pull out**	~을 뽑아내다 ← 무언가를 당겨서 **밖으로** 뽑다
		□ **send out**	~을 내보내다 ← 알리기 위해 정보나 메시지 등을 **밖으로** 내보내다
		□ **take out**	(돈 등을) 인출하다 ← 계좌에서 돈을 인출해서 **밖으로** 가져가다
		□ **try out for**	(선발 등을 위해) ~에 지원하다 ← 선발 등을 위해 **밖으로** 도전해 보다
		□ **turn out**	~**으로 드러나다** ← 숨겨져 있던 사실 등이 **밖으로** 뒤집혀 나오다
③ 감소·고갈		□ **be sold out**	**품절되다** ← 제품이 전부 판매되어 다 떨어지다
		□ **block out**	~을 차단하다, ~을 가리다 ← 무언가를 완전히 막아서 **없애다**
		□ **burn out**	(불이) 다 타버리다 ← 불이나 불꽃이 다 타서 **없어지다**
		□ **go out**	(불·전기가) 나가다 ← 불이나 전기가 다 떨어진 상태로 가다
		□ **miss out**	(기회·즐거움 등을) **놓치다** ← 기회나 즐거움 등을 놓쳐 완전히 없어지다
		□ **out of breath**	**숨이 찬** ← 숨이 차서 들이쉬고 내쉴 숨이 **없어진**
		□ **pass out**	**기절하다** ← 정신력이 떨어져 의식을 잃고 뒤로 넘어가다
		□ **put out**	(불을) **끄다** ← 불씨가 꺼져 없어진 상태로 두다
		□ **run out of**	~이 다 떨어지다 ← 달리던 차의 연료가 결국 다 떨어지다
		□ **wear out**	(닳아서) **못 쓰게 되다** ← 물건이 닳아서 쓸모가 없어지다
④ 전체		□ **carry out**	~을 완수하다 ← 시작한 일을 끝까지 완전히 가지고 가다
		□ **fill out**	(서류 등을) 작성하다 ← 서류 등의 빈칸을 완전히 채워 작성하다

03. OF

① 부분·포함
  → 전체의 '부분'으로 '포함'되어 있는 상태를 의미하며, '~의, ~ 중의, ~에, ~ 중에'라고 해석한다.
② 주체·대상
  → 행동이나 감정의 '주체' 또는 '대상'을 의미하며, '~이, ~에 대해, ~을'이라고 해석한다.
③ 출처·본질
  → 어떤 것이 기존에 속해 있던 '출처'나 그것의 '본질'적인 상태를 의미하며, '~에서'라고 해석한다.
④ 원인·요소
  → 어떤 것을 이끌어 낸 '원인'이나 그것을 구성하는 '요소'를 의미하며, '~으로 인해, ~으로'라고 해석한다.
⑤ 동격
  → '동격'의 위치에서 어떤 것을 부연 설명하는 것을 의미하며, '~인, ~이라는'이라고 해석한다.

---

① 부분·포함

□ a couple of	두어 개의 ← 어떤 것의 두 개 정도
□ a cup of	(~의) 한 잔 ← 마실 것의 한 잔
□ a group of	(~의) 무리 ← 어떤 사람이나 동물의 한 무리
□ a kind of	(~의) 한 종류 ← 어떤 것의 한 종류
□ a lot of	많은 ← 어떤 것의 많은 수나 많은 양
□ a number of	(수가) 많은 ← 어떤 것의 다수
□ a pair of	(~의) 한 쌍 ← 두 개로 이루어진 어떤 것의 한 쌍
□ (a) part of	(~의) 한 부분 ← 전체 중의 한 부분
□ a piece of	(~의) 한 조각 ← 전체 중의 한 조각
□ a set of	(~의) 한 세트 ← 어떤 것의 한 세트
□ a variety of	여러 가지(의) ← 어떤 것의 여러 가지
□ all of	(~의) 전부 ← 전체 중의 전부
□ all of a sudden	갑자기, 별안간 ← 갑작스러운 일의 전부
□ each of	(~의) 각각 ← 어떤 것의 각각
□ first of all	우선 ← 모든 것 중에 첫 번째로
□ half of	(~의) 절반 ← 전체 중의 절반
□ hundreds of	수백의 ← 어떤 것의 수백 개
□ in the middle of	~ (도)중에 ← 진행되는 기간의 중간에
□ keep track of	~을 추적하다 ← 어떤 것의 자취를 그대로 두며 추적하다
□ millions of	수백만의, 수많은 ← 어떤 것의 수백만 개
□ most of	~의 대부분 ← 어떤 것의 대부분
□ none of	~ 중 아무(것)도 −않는 ← 전체 중에 아무것도 해당하지 않는
□ on the other side of	~의 반대편에(서) ← 무언가의 반대쪽 편에서

☐ on the side of	~의 옆(면)에 ← 무언가의 옆면에	
☐ plenty of	많은 ← 어떤 것의 풍부한 양만큼	
☐ some of	~의 약간 ← 전체 중의 약간	
☐ the majority of	~의 대다수 ← 어떤 것의 대다수	
☐ the number of	~의 수 ← 어떤 것의 개수	
☐ the rest of	(~의) 나머지 ← 어떤 것의 나머지	

② 주체·대상

☐ ahead of	~보다 앞선 ← 다른 것을 앞선
☐ be afraid of	~을 두려워하다 ← 무언가에 대해 두려워하다
☐ be ashamed of	~을 부끄러워하다 ← 무언가에 대해 부끄러워하다
☐ be aware of	~을 알다 ← 어떤 것에 대해 알고 있다
☐ be capable of	~할 수 있다 ← 무언가에 대해 능력이 있다
☐ be proud of	~을 자랑스러워 하다 ← 어떤 대상에 대해 자랑스러워 하다
☐ be scared of	~을 무서워하다 ← 무언가에 대해 무서워하다
☐ be tired of	~에 질리다 ← 어떤 대상에 대해 질리다
☐ get rid of	~을 없애다 ← 무언가를 없애게 되다
☐ in charge of	~을 책임지고 있는 ← 어떤 일에 대해 책임 상태에 있는
☐ in favor of	~에 찬성하여 ← 사안에 대해 찬성 상태에 있는
☐ in front of	~의 앞에(서) ← 무언가에 대해 앞쪽에서
☐ in search of	~을 찾아서 ← 목표물에 대해 탐색 상태에 있는
☐ in spite of	~에도 불구하고 ← 어떤 것에 대한 원한 상태에도 불구하고
☐ inform A of B	A에게 B에 대해 알리다 ← A에게 B에 대해 알리다
☐ instead of	~ 대신에 ← 어떤 것에 대해 대신으로
☐ make fun of	~를 놀리다 ← 누군가를 웃음거리로 만들다
☐ make use of	~을 이용하다 ← 무언가에 대해 이용을 만들어 내다
☐ out of breath	숨이 찬 ← 숨이 차서 들이쉬고 내쉴 숨이 없어진
☐ regardless of	~에 상관없이 ← 어떤 것에 대해 고려하지 않고
☐ remind A of B	A에게 B를 생각나게 하다 ← A에게 B에 대해 생각나게 하다
☐ run out of	~이 다 떨어지다 ← 달리던 차의 연료가 결국 다 떨어지다
☐ take care of	~를 돌보다 ← 누군가에 대해 돌봄을 행하다
☐ take note of	~에 주목하다 ← 어떤 것에 대해 주목을 행하다
☐ think of	~에 대해 생각하다 ← 어떤 것에 대해 생각하다

③ 출처·본질	□ be free of	~이 없다 ← 부담이나 책임이 없어서 그것에서 자유롭다
	□ be short of	~이 부족하다 ← 정도나 양에서 부족하다
	□ come out (of)	(~에서) 나오다 ← 원래 있던 곳에서 밖으로 나오다
	□ get out (of)	(~에서) 나가다 ← 어떤 장소에서 밖에 이르다
	□ out of hand	손 쓸 수 없는 ← 통제자의 손에서 벗어난
	□ out of nowhere	난데없이 ← 어딘지 모를 곳에서 난데없이 밖으로 나온
	□ out of order	고장 난 ← 정상 상태에서 벗어나 고장 난
	□ out of sight	보이지 않는 곳에 (있는) ← 시야에서 벗어난
	□ take advantage of	~을 기회로 활용하다 ← 어떤 상황이나 기회에서 이익을 취하다
④ 원인·요소	□ be full of	~으로 가득 차다 ← 어떤 요소나 내용물로 가득 차다
	□ be made (up) of	~으로 만들어지다 ← 어떤 요소들로 완전히 만들어지다
	□ consist of	~으로 이루어지다 ← 세부 구성 요소들로 이루어지다
	□ die of	~으로 죽다 ← 특정한 원인이나 병으로 인해 죽다
⑤ 동격	□ in case of	~의 경우에는 ← 무엇인 경우에는

04. TO

① 목표·대상
  → '목표'하는 사람이나 사물, 즉, '대상'을 의미하며, '~에, ~에 대해, ~에게'라고 해석한다.
② 방향·이동
  → 목표 대상이 있는 '방향'으로 '이동'하는 것을 의미하며, '~으로, ~을 향해'라고 해석한다.
③ 정도·도달
  → 목표하는 '정도'에 '도달'하는 것을 의미하며, '~까지, ~에 이르도록'이라고 해석한다.
④ 비교
  → 목표 대상과 '비교'하는 것을 의미하며, '~에 비해, ~보다'라고 해석한다.

---

① 목표·대상	□ according to	~에 따르면 ← 확실한 진술이나 기록에 따르면
	□ be close to	~에 가깝다 ← 위치, 시간, 관계 등이 비교 대상에 가깝다
	□ be familiar to	~에게 친숙하다 ← 누군가에게 친숙하다
	□ be harmful to	~에(게) 해롭다 ← 어떤 것이 누군가에게 해롭다
	□ be kind to	~에게 친절하다 ← 누군가에게 친절하다
	□ be open to	~에 개방적이다 ← 새롭고 낯선 것들에 열려 있다
	□ be related to	~과 관련이 있다 ← 무언가에 관련이 있다
	□ be similar to	~과 유사하다 ← 다른 무언가에 유사성이 있다
	□ be used to -ing	~하는 것에 익숙하다 ← ~하는 것에 익숙하다
	□ belong to	(사람이) ~에 속하다 ← 어떤 집단이나 누군가의 소유물에 속하다
	□ contribute to	~에 공헌하다 ← 어떤 것의 성공이나 발전에 공헌하다
	□ devote oneself to	~에 헌신하다 ← 어떤 일에 자기 자신을 바치다
	□ due to	~ 때문에 ← 원인을 어떤 것에 돌려 그것 때문에
	□ get married (to)	(~와) 결혼하다 ← 누군가에게 결혼하게 되다
	□ give birth (to)	(아이를) 낳다, 출산하다 ← 아이에게 탄생을 주다
	□ give life to	~에 생명을 주다 ← 어떤 대상에 생명을 주다
	□ happen to	(일이) ~에게 일어나다 ← 일이 누군가에게 일어나다
	□ hold on to	~을 계속 잡다 ← 어떤 것에 손을 대고 계속 잡다
	□ in response to	~에 대한 반응으로 ← 자극에 대한 반응의 형태로
	□ introduce A to B	A를 B에게 소개하다 ← A를 B에게 소개하다
	□ listen to	~에 귀를 기울이다 ← 어떤 것에 대해 귀 기울여 듣다
	□ look up to	~를 존경하다 ← 누군가에 대해 위로 우러러보다
	□ next to	(위치) ~ 옆에, (순서) ~ 다음에 ← 위치나 순서가 어떤 것에 인접한
	□ pay attention to	~에(게) 주목하다 ← 어떤 것에 주목이나 관심을 주다
	□ say hello to	~에게 안부를 전해주다 ← 누군가에게 안부 인사를 전해주다

□ stick to	~에 붙다 ← 스티커처럼 어떤 곳에 찰싹 붙다	
□ talk to	~에게 말을 걸다 ← 누군가에게 말하다	
□ thanks to	~ 덕분에 ← 무언가에 대한 감사함으로	
□ up to	~에(게) 달려 있다 ← 누군가의 결정에 따라 생겨날 수 있는	

② 방향·이동

□ come over (to)	(~로) 건너오다 ← 자기 공간 너머의 다른 곳으로 건너오다	
□ come to	~로 오다 ← 어떤 장소로 오다	
□ come to an end	끝나다 ← 진행되던 것이 끝으로 오다	
□ come to mind	(갑자기) 생각이 떠오르다 ← 갑자기 생각이 머릿속으로 오다	
□ face to face	(직접) 대면하여 ← 얼굴이 다른 얼굴을 향해 직접 대면하여	
□ fly to	~로 날아가다 ← 목적지로 날아서 가다	
□ from A to B	(장소) A에서 B로 ← A에서 B로	
□ from place to place	이곳저곳으로 ← 이곳에서 저곳으로	
□ get back to	~로 돌아가다 ← 원래 있던 곳으로 다시 이르다	
□ get off to a good start	좋은 출발을 하다 ← 좋지 않은 상황을 벗어나 좋은 출발로 향하게 되다	
□ get to	~에 이르다 ← 어떤 장소로 가서 결국 그곳에 이르다	
□ go back (to)	(~로) 돌아가다 ← 원래 있던 곳으로 다시 가다	
□ go to a movie	영화를 보러 가다 ← 영화가 있는 곳을 향해 가다	
□ go to bed	자다, 잠들다 ← 침대로 가서 잠을 자다	
□ go to school	학교에 가다 ← 학교로 가다	
□ go to work	회사에 가다 ← 회사로 가다	
□ help oneself (to)	(음식을) 마음껏 먹다 ← 음식 앞으로 가서 스스로를 거들다	
□ invite A to B	A를 B로 초대하다 ← A를 B로 초대하다	
□ lead A to B	A를 B로 이끌다 ← A를 B로 이끌다	
□ lead to	~으로 이어지다 ← 어떤 결과로 이끌다	
□ look forward to	~을 기대하다 ← 앞으로 다가올 일을 향해 바라보다	
□ make it (to)	(~에) 성공하다 ← 한 단계 위로 향하는 그것, 즉 성공을 만들다	
□ on one's way (to)	(~로) 가는 길에 ← 목적지로 가던 자신의 길 위에서	
□ point to	~을 가리키다 ← 어딘가를 향해 손가락으로 콕 집어 가리키다	
□ take A to B	A를 B로 데려가다 ← A를 B로 데려가다	
□ take a trip (to)	(~으로) 여행을 가다 ← 특정 장소로 여행을 행하다	
□ turn to	~로 돌다 ← 특정 방향으로 돌다	

③ 정도·도달	☐ **from A to B**	(시간) A부터 B까지 ← A부터 B까지
	☐ **from beginning to end**	처음부터 끝까지 ← 시작부터 끝까지
	☐ **from time to time**	이따금, 때때로 ← 시간부터 시간까지 간격을 두고
	☐ **to one's surprise**	놀랍게도 ← 누군가의 놀라움에 이르면서까지
	☐ **up to**	(특정한 수·정도 등) ~까지 ← 위로 최대 얼마까지
④ 비교	☐ **prefer A to B**	A를 B보다 선호하다 ← B에 비해 A를 선호하다
	☐ **prior to**	~에 앞서 ← 비교 대상에 비해 앞서서

① 위치·기준·근원
→ 어떤 것의 출발점이 되는 '위치', '기준', '근원'을 의미하며, '~에서, ~으로부터'라고 해석한다.

② 시작
→ 어떤 것이 '시작'하는 시점이나 시간을 의미하며, '~부터'라고 해석한다.

③ 구별·비교
→ 어떤 것으로부터 '구별'되거나 '비교'되는 대상을 의미하며, '~과 (달리)'라고 해석한다.

① 위치·기준·근원	□ across from	~의 건너편에 (있는) ← 기준점에서 건너편에 있는	
	□ be absent from	~에 결석하다 ← 참여해야 하는 활동에서 결석하다	
	□ be from	~ 출신이다 ← 특정 지역이나 나라에서 온 사람이다	
	□ be made from	~으로 만들어지다 ← 바탕이 되는 재료로부터 만들어지다	
	□ escape from	~에서 탈출하다 ← 원치 않는 곳에서 탈출하다	
	□ far (away) from	~에서 멀리 (떨어져) 있는 ← 어떤 곳에서 멀리 떨어져 있는	
	□ from A to B	(장소) A에서 B로 ← A에서 B로	
	□ from place to place	이곳저곳으로 ← 이곳에서 저곳으로	
	□ graduate from	~를 졸업하다 ← 특정 학교에서 졸업하다	
	□ hear from	~에게서 소식을 듣다 ← 누군가로부터 소식 등을 듣다	
	□ hold back from -ing	~하는 것을 억제하다 ← ~하는 것을 진행되는 것으로부터 뒤로 막다	
	□ keep A from -ing	A가 ~하는 것을 막다 ← A가 ~하는 것으로부터 막다	
	□ keep away from	~을 멀리하다 ← 무언가로부터 자신을 멀리 두다	
	□ prevent A from -ing	A가 ~하는 것을 막다 ← A를 ~하는 것으로부터 막다	
	□ protect A from B	B로부터 A를 보호하다 ← A를 B로부터 보호하다	
	□ result from	~에서 유래하다 ← 어떤 원인에서 유래하여 결과로 생기다	
	□ run away (from)	(~에서) 달아나다 ← 어딘가에서 멀리 달려가다	
	□ stay away from	~에서 떨어져 있다 ← 어떤 장소로부터 멀리에 머무르다	
	□ stop A from -ing	A가 ~하는 것을 막다 ← A가 ~하는 것으로부터 멈추게 하다	
	□ suffer from	~으로 고통받다 ← 근심이나 병으로부터 고통받다	
② 시작	□ from A to B	(시간) A부터 B까지 ← A부터 B까지	
	□ from beginning to end	처음부터 끝까지 ← 시작부터 끝까지	
	□ from now on	지금부터 ← 지금부터 계속 ~하는	
	□ from time to time	이따금, 때때로 ← 시간부터 시간까지 간격을 두고	
③ 구별·비교	□ be different from	~과 다르다 ← 비교 대상과 차이가 있다	
	□ tell A from B	A를 B와 구별하다 ← A를 B와 구별해서 말하다	

06. FOR

① 목적·목표
→ 특정한 '목적'이나 '목표'를 추구하는 것을 의미하며, '~을 위해'라고 해석한다.
② 대상
→ 목적이나 목표가 되는 '대상'을 의미하며, '~에 대해, ~을'이라고 해석한다.
③ 특징·속성
→ 어떤 대상이 갖는 '특징'이나 '속성'을 의미하며, '~으로, ~으로서'라고 해석한다.
④ 시점·기간
→ 목적을 위해 예정된 '시점'이나 '기간'을 의미하며, '~ (때)에, ~ 동안'이라고 해석한다.
⑤ 방향
→ 목표 지점에 도달하기 위해 특정한 '방향'으로 나아가는 것을 의미하며, '~을 향해'라고 해석한다.

① 목적·목표	☐ apply for	~에 지원하다 ← 일자리 등을 위해 지원하다	
	☐ call for	~을 요구하다 ← 목적을 위해 큰 소리로 외치며 요구하다	
	☐ come for	~을 하러 오다 ← 특정한 목적을 위해 오다	
	☐ fight for	~을 (얻기) 위해 싸우다 ← 어떤 목적을 위해 싸우다	
	☐ for a living	생계를 위해 ← 생계를 위해	
	☐ for fun	재미로, 장난으로 ← 재미를 위해	
	☐ for sale	판매되는 ← 판매를 위해 내놓은	
	☐ go for a walk	산책하러 가다 ← 산책을 위해 가다	
	☐ look for	~을 찾아보다 ← 목표하는 것을 찾기 위해 계속 보다	
	☐ run for	~에 출마하다 ← 당선을 위해 달리다	
	☐ sign up for	~에 가입하다 ← 가입을 위해 신청서에 완전히 서명하다	
	☐ stand for	~을 의미하다 ← 의미를 나타내기 위해 상징적으로 우뚝 서 있다	
	☐ stand up for	~을 지지하다 ← 권리나 인물 등을 지지하기 위해 위로 일어서다	
	☐ try out for	(선발 등을 위해) ~에 지원하다 ← 선발 등을 위해 밖으로 도전해 보다	
	☐ vote for	~에(게) (찬성) 투표를 하다 ← 특정한 사람이나 목적을 위해 투표하다	
	☐ watch out (for)	(~을) 조심하다 ← 위험을 조심하기 위해 밖을 살피다	
② 대상	☐ account for	~을 차지하다 ← 일정 부분이나 비율을 차지하다	
	☐ ask for	~을 요청하다 ← 필요한 것에 대해 달라고 요청하다	
	☐ be good for	~에 이롭다 ← 어떤 대상에 대해 이롭다	
	☐ be important for	~에 (있어) 중요하다 ← 어떤 것에 대해 중요하다	
	☐ be late for	~에 늦다 ← 정해진 일정에 대해 늦다	
	☐ be responsible for	~에 책임이 있다 ← 어떤 일에 대해 책임이 있다	
	☐ be sorry for	~를 안쓰럽게 여기다 ← 누군가를 안쓰럽게 여기다	

	☐ be thankful for	~에 대해 감사하다 ← 무언가에 대해 감사하다	
	☐ blame A for B	B에 대해 A를 탓하다 ← B에 대해 A를 탓하다	
	☐ care for	~를 보살피다 ← 누군가를 보살피다	
	☐ except for	~을 제외하고(는) ← 어떤 것을 제외하고는	
	☐ for example	예를 들면 ← 예시에 대해 말하자면	
	☐ for instance	예를 들면 ← 사례에 대해 말하자면	
	☐ have respect for	~를 존경하다 ← 누군가에 대해 존경을 갖다	
	☐ in return (for)	(~에 대한) 보답으로 ← 무언가에 대해 보답의 형태로	
	☐ make up for	~을 보충하다 ← 완전하게 만들기 위해 무언가에 대해 보충하다	
	☐ pay for	~에 (돈을) 내다 ← 무언가에 대해 돈이나 값을 지불하다	
	☐ prepare for	~에 대비하다 ← 무언가에 대해 준비를 갖추다	
	☐ take responsibility for	~을 책임지다 ← 행동이나 일에 대해 책임을 갖다	
	☐ thank A for B	B에 대해 A에게 감사하다 ← A에게 B에 대해 감사하다	
	☐ wait for	~을 기다리다 ← 어떤 대상을 기다리다	
③ 특징·속성	☐ be famous for	~으로 유명하다 ← 고유한 특징 등으로 유명하다	
	☐ be known for	~으로 유명하다 ← 어떤 특징으로 알려져 유명하다	
	☐ for free	무료로 ← 무료로	
	☐ for nothing	공짜로 ← 돈을 아무 것도 내지 않고 공짜로	
	☐ for one thing	우선 한 가지 이유는 ← 이유가 되는 한 가지 것으로는	
	☐ for oneself	혼자 힘으로 ← 자기 자신이 가진 힘만으로	
	☐ for sure	확실히, 틀림없이 ← 틀림없는 확실한 내용으로	
	☐ take A for granted	A를 당연하게 여기다 ← A를 주어진 것으로 당연하게 받아들이다	
④ 시점·기간	☐ for a long time	오랫동안 ← 긴 시간 동안	
	☐ for a moment	잠깐 동안 ← 잠깐 동안	
	☐ for a while	잠시 동안 ← 잠시 동안	
	☐ for some time	한동안, 당분간 ← 약간의 시간 동안	
	☐ for the first time	(난생) 처음으로 ← 태어나서 맨 처음 때에	
⑤ 방향	☐ head for	~을 향해 가다 ← 특정 방향이나 지점을 향해 나아가다	
	☐ leave for	~로 떠나다 ← 목적지를 향해 떠나다	

07. ON

≡

① 위치·표면·접촉
→ 어떤 것의 '표면' 위에 '접촉'하고 있는 상태를 의미하며, '~ 위에, ~ 위에서, ~에, ~에서'라고 해석한다.
② 대상
→ 접촉하여 영향을 미치는 '대상'을 의미하며, '~에, ~에 대해, ~을'이라고 해석한다.
③ 지속·진행
→ 어떤 상태나 행동이 한 표면상에서 '지속'되거나 '진행'되는 상태를 의미하며, '계속 ~하는, 진행되는'이라고 해석한다.
④ 수단·방법
→ 어떤 '수단'이나 '방법'을 지속하여 그것을 기반으로 하는 것을 의미하며, '~으로, ~에 의해'라고 해석한다.
⑤ 시점·날짜
→ 접촉하고 있는 '시점'이나 '날짜'를 의미하며, '~에, ~ 때에'라고 해석한다.

① 위치·표면·접촉	□ call on	~에(게) 들르다 ← 어딘가에 미리 전화한 뒤에 들르다	
	□ count on	~를 믿다 ← 누군가의 머리 위에서 돈을 셀 만큼 그 사람을 믿다	
	□ get on	(탈 것에) 탑승하다 ← 발이 탈 것 위에 이르다	
	□ hang on	~에 걸려 있다 ← 어딘가에 걸려 있다	
	□ on earth	지구상에서 ← 우리가 살아가는 지구 위에서	
	□ on one's way (to)	(~로) 가는 길에 ← 목적지로 가던 자신의 길 위에서	
	□ on the other hand	반면에, 다른 한편으로는 ← 이쪽 손과 달리 반대쪽 손 위에는	
	□ on the other side of	~의 반대편에(서) ← 무언가의 반대쪽 편에서	
	□ on the side of	~의 옆(면)에 ← 무언가의 옆면에	
	□ on the spot	그 자리에서 ← 어떤 일이 발생한 바로 그 자리에서	
	□ put on	(옷·모자·신발 등을) 입다 ← 몸 위에 옷이나 모자, 신발 등을 두다	
	□ try on	(옷을) 입어 보다 ← 몸 위에 옷을 한 번 입어 보다	
② 대상	□ be based on	~에 기반하다 ← 어떤 바탕이나 근거에 기반을 두다	
	□ check on	~를 확인하다 ← 누군가에 대해 이상이 없는지를 확인하다	
	□ concentrate on	~에 집중하다 ← 무언가에 집중하다	
	□ cut down on	~을 절감하다 ← 수량이나 비용에 대해 낮아지도록 깎다	
	□ depend on	~에 달려 있다 ← 어떤 요소에 따라 달려 있다	
	□ focus on	~에 집중하다 ← 어떤 것에 초점을 맞추고 집중하다	
	□ have an effect on	~에 영향을 미치다 ← 어떤 것에 영향이 있다	
	□ keep (on) -ing	계속 ~하다 ← ~하는 것을 계속 유지하다	
	□ keep one's eyes on	~에서 눈을 떼지 않다 ← 자신의 눈을 무언가에 계속 두다	
	□ look down on	~를 낮춰 보다 ← 누군가에 대해 아래로 낮춰 보다	
	□ rely on	~에(게) 기대다 ← 어떤 것에 기대어 의존하다	

	□ spend A (on) -ing	~하는 데 A를 쓰다 ← ~하는 것에 A를 쓰다
③ 지속·진행	□ and so on	(기타) 등등 ← 그리고 그렇게 기타의 것들이 계속되는
	□ from now on	지금부터 ← 지금부터 계속 ~하는
	□ go on	(상황 등이) 계속되다 ← 상황 등이 계속 진행되어 가다
	□ go on a diet	다이어트를 하다 ← 계속 다이어트 상태로 가다
	□ hold on	(전화 통화에서) 기다리다 ← 전화기를 계속 꽉 잡고 기다리다
	□ hold on to	~을 계속 잡다 ← 어떤 것에 손을 대고 계속 잡다
	□ move on	(새로운 일·주제로) 나아가다 ← 새로운 것 또는 다음 것으로 옮겨가서 계속하다
	□ on and on	계속해서 ← 어떤 일을 계속하고 또 계속하는
	□ on display	전시 중인 ← 계속 전시하는
	□ on fire	불타는 ← 계속 불이 나고 있는
	□ on sale	할인되는 ← 계속 할인 판매하는
	□ turn on	(전기·가스 등을) 켜다 ← 스위치를 돌려 전기나 가스가 계속 작동하게 만들다
④ 수단·방법	□ feed on	~을 먹고 살다 ← 특정 음식으로 먹이를 먹고 살다
	□ on average	평균적으로 ← 평균으로
	□ on foot	걸어서, 도보로 ← 발로 걸어서
	□ on one's own	단독으로 ← 타인의 도움 없이 자신이 가진 것으로
	□ on purpose	일부러 ← 어떤 목적으로 일부러
	□ on the phone	전화로 ← 전화로
⑤ 시점·날짜	□ on time	제시간에 ← 정해진 시간에
	□ on weekends	주말마다 ← 매주 주말들에, 즉 주말마다

08. OFF

① 이탈
→ 원래 있던 곳에서 벗어나 '이탈'한 상태를 의미하며, '벗어난, 벗어나'라고 해석한다.

② 분리
→ 원래 있던 곳에서 떨어져 나와 '분리'된 상태를 의미하며, '~에서 떼어낸, ~에서 떼어내어'라고 해석한다.

③ 완료
→ 진행 중이던 원래의 상태에서 완전히 벗어나 '완료'된 것을 의미하며, '완전히, 끝까지'라고 해석한다.

① 이탈	□ fall off	~에서 떨어지다 ← 높은 곳에서 발이 벗어나 떨어지다
	□ get off	(탈 것에서) 내리다 ← 발이 버스나 기차 등에서 벗어난 곳에 이르다
	□ get off to a good start	좋은 출발을 하다 ← 좋지 않은 상황을 벗어나 좋은 출발로 향하게 되다
	□ give off	(냄새·열·빛 등을) 내다 ← 냄새나 열, 빛 등을 벗어난 곳으로 내주다
	□ go off	(알람·경보가) 울리다 ← 알람이나 경보 소리가 멀리 벗어나 가서 울리다
	□ go off the deep end	자제심을 잃다 ← 수심이 깊은 곳처럼 절제되고 차분한 상태에서 벗어나다
	□ put off	(시간·날짜를) 미루다 ← 해야 할 일을 예정된 날짜에서 벗어나게 두어 미루다
	□ set off	출발하다 ← 출발지에서 벗어난 곳에 발을 두다
	□ show off	~을 자랑하다 ← 자신이 평균치에서 벗어나 있음을 보여주다
	□ take off	(옷·신발·모자 등을) 벗다 ← 착용하던 것을 몸에서 벗어나도록 가져가다
	□ turn off	(전기·기계 등을) 끄다 ← 전원 버튼을 돌려 작동 상태에서 벗어나게 하다
② 분리	□ brush off	(솔로) ~을 털어내다 ← 솔질하여 무언가에서 먼지를 떼어내다
	□ cut off	~을 잘라내다 ← 붙어 있던 것에서 떼어내기 위해 자르다
③ 완료	□ go off	(불·전기가) 나가다 ← 불이나 전기의 수명이 끝까지 다한 상태로 가다
	□ pay off	성과가 나다 ← 과거의 노력이 성과나 성공으로 완전히 보답하다

① 함께·동반
→ 어떤 사람이나 사물이 '함께' '동반'되는 것을 의미하며, '~과, ~과 함께'라고 해석한다.

② 대상
→ 행동이나 상태에 동반되는 '대상'을 의미하며, '~에, ~에게, ~에 대해'라고 해석한다.

③ 구성·재료
→ 다른 요소들과 동반되어 전체를 '구성'하는 '재료'가 되는 것을 의미하며, '~으로'라고 해석한다.

④ 원인·수단
→ 어떤 대상과 동반되어 '원인' 또는 '수단'으로 사용되는 것을 의미하며, '~에 의해'라고 해석한다.

① 함께·동반	□ along with	~과 함께 ← 다른 것과 함께 나란히	
	□ be concerned with	~과 관계가 있다 ← 어떤 것과 관계가 있다	
	□ catch up with	(능력·수준) ~을 따라잡다 ← 누군가와의 차이를 완전히 따라잡다	
	□ compare A with B	A를 B와 비교하다 ← A를 B와 비교하다	
	□ cooperate with	~와 협력하다 ← 누군가와 협력하다	
	□ fall in love (with)	(~와) 사랑에 빠지다 ← 누군가와 사랑에 빠지다	
	□ fit in with	~와 잘 어울리다 ← 사람들과의 관계에서 어긋나지 않고 꼭 맞다	
	□ get along with	~와 잘 지내다 ← 누군가와 함께 잘 지내게 되다	
	□ go well with	~과 잘 어울리다 ← 무언가와 함께 어울려서 잘 진행되다	
	□ hang out (with)	(~와) 어울려 다니다 ← 밖에서 친구들과 함께 매달려 다니다	
	□ have to do with	~와 관계가 있다 ← 다른 것과 관계가 있어 함께 해야 한다	
	□ in harmony with	~과 조화를 이루어 ← 다른 것과 조화의 상태에 있는	
	□ keep in touch (with)	(~와) 연락하고 지내다 ← 누군가와 접촉 상태를 유지하다	
	□ keep up with	(능력·수준) ~에 뒤지지 않다 ← 누군가와 완전히 동등한 상태를 유지하다	
	□ live with	~와 함께 살다 ← 다른 누군가와 함께 살다	
	□ make an appointment (with)	(~와) 만날 약속을 하다 ← 누군가와 만남의 약속을 만들다	
	□ make friends with	~와 친해지다 ← 누군가와 함께 친구 관계를 만들다	
	□ shake hands (with)	(~와) 악수하다 ← 누군가와 손을 마주잡고 흔들다	
	□ share A with B	B와 A를 공유하다 ← A를 B와 공유하다	
	□ work with	~와 함께 일하다 ← 누군가와 함께 일하다	
② 대상	□ agree with	~에(게) 동의하다 ← 누군가에게 동의하다	
	□ be disappointed with	~에(게) 실망하다 ← 어떤 것에 실망하다	
	□ be familiar with	~에 (대해) 익숙하다 ← 어떤 주제나 사안에 대해 익숙하다	
	□ be happy with	~에 행복하다 ← 어떤 것에 행복하다	

☐ be honest with	~에게 정직하게 하다 ← 누군가에게 정직하게 하다	
☐ be popular with	~에게 인기가 있다 ← 누군가에게 인기 있다	
☐ be satisfied with	~에 만족하다 ← 어떤 것에 만족하다	
☐ come up with	(해결책 등을) 생각해 내다 ← 해결책 등에 대한 생각이 머리 위로 생기다	
☐ deal with	~을 처리하다 ← 일이나 상황에 대해 처리하다	
☐ help A with B	B에 대해 A를 돕다 ← B에 대해 A를 돕다	
☐ provide A with B	A에게 B를 제공하다 ← A에게 B에 대해 제공하다	
☐ put up with	~을 참고 견디다 ← 불편한 것에 대해 두 손을 귀 위에 두고 막아 꾹 참고 견디다	

③ 구성·재료	☐ be covered with	~으로 덮이다 ← 무언가로 덮이다
	☐ be crowded with	~로 붐비다 ← 많은 사람들로 붐비다
	☐ be filled with	~으로 가득 차다 ← 어떤 요소나 내용물로 가득 차다
	☐ begin with	~으로 시작하다 ← 특정한 것으로 시작하다
	☐ fill A with B	A를 B로 (가득) 채우다 ← A를 B로 가득 채우다
④ 원인·수단	☐ be busy with	~으로 바쁘다 ← 어떤 일이나 상황에 의해 바쁘다

10. UP ≡

① 위·상승
→ 무언가가 '위'에 위치하거나 위로 '상승'하는 것을 의미하며, '위에, 위로'라고 해석한다.

② 전체·완료
→ 맨 아래에서부터 맨 위까지 어떤 것의 '전체'가 '완료'된 것을 의미하며, '완전히'라고 해석한다.

③ 발생·출현
→ 보이지 않다가 갑자기 위로 '발생'하거나 '출현'하는 것을 의미하며, '생겨나, 나타나'라고 해석한다.

---

① 위·상승		
□ add up	(조금씩) 늘어나다	← 위로 더해져서 조금씩 늘어나다
□ bring up	(아이를) 기르다	← 아기를 데려와 위로 쑥쑥 자라게 키우다
□ build up	~을 키우다	← 무언가를 위로 쌓아 올려 키우다
□ call up	~에게 전화를 걸다	← 전화기를 위로 들어 누군가에게 전화하다
□ come up with	(해결책 등을) 생각해 내다	← 해결책 등에 대한 생각이 머리 위로 생기다
□ get up	(잠 등에서) 일어나다	← 잠에서 일어나 몸을 위로 일으키게 되다
□ give up	포기하다	← 양손을 위로 들어 주며 포기를 선언하다
□ go up	~을 올라가다	← 높은 곳을 위로 올라서 가다
□ grow up	자라다, 성장하다	← 위로 서서히 크면서 자라다
□ hang up	전화를 끊다	← 전화를 끊고 전화기를 위에 다시 걸쳐두다
□ hold up	~을 (위로) 떠받치다	← 어떤 대상을 잡고 위로 받쳐 올리다
□ look up	~을 올려다보다	← 무언가를 위로 올려다보다
□ look up to	~를 존경하다	← 누군가에 대해 위로 우러러보다
□ pick up	(차에) ~를 태우다	← 데려갈 사람을 집어서 위로 올려 차에 태우다
□ put up	(천막 등을) 치다	← 땅 위에 천막이나 건물 등을 세워 올리다
□ put up with	~을 참고 견디다	← 불편한 것에 대해 두 손을 귀 위에 두고 막아 꾹 참고 견디다
□ set up	~을 세우다	← 구조물 또는 텐트 등을 위로 향하도록 세우다
□ stand up	(일어)서다	← 몸을 위로 일으켜서 서다
□ stand up for	~을 지지하다	← 권리나 인물 등을 지지하기 위해 위로 일어서다
□ stay up	(늦게까지) 안 자다	← 늦게까지 안 자고 몸을 위로 일으킨 채로 있다
□ throw up	토하다	← 먹었던 음식을 다시 위로 던져 토하다
□ turn up	(소리·온도 등을) 높이다	← 소리나 온도 조절 버튼을 위로 돌려서 높이다
□ up to	(특정한 수·정도 등) ~까지	← 위로 최대 얼마까지
□ wake up	(잠에서) 깨어나다	← 잠에서 깨서 몸을 위로 일으키다
□ warm up	~을 따뜻하게 하다	← 무언가를 따뜻하게 데워서 온도를 위로 올리다
② 전체·완료 □ be made (up) of	~으로 만들어지다	← 어떤 요소들로 완전히 만들어지다

	□ catch up with	(능력·수준) ~을 따라잡다 ← 누군가와의 차이를 완전히 따라잡다
	□ clean up	~을 청소하다 ← 무언가를 청소해서 완전히 다 치우다
	□ dress up	(옷을) 갖추어 입다 ← 옷을 완전히 갖추어 입다
	□ end up -ing	결국 ~하게 되다 ← 결국 ~하는 것으로 완전히 끝나다
	□ keep up with	(능력·수준) ~에 뒤지지 않다 ← 누군가와 완전히 동등한 상태를 유지하다
	□ line up	(일렬로) 줄을 서다 ← 사람들이 완전히 한 줄로 서다
	□ look up	~을 찾아보다 ← 정보 등을 완전히 뒤져서 찾아보다
	□ make up	~을 구성하다 ← 무언가를 완전하게 만들어 구성하다
	□ make up for	~을 보충하다 ← 완전하게 만들기 위해 무언가에 대해 보충하다
	□ make up one's mind	결심하다 ← 자신의 마음을 완전히 만들어 정하다
	□ sign up for	~에 가입하다 ← 가입을 위해 신청서에 완전히 서명하다
	□ use up	~을 다 써 버리다 ← 갖고 있던 것을 완전히 다 쓰다
	□ wrap up	(선물 등을) 포장하다 ← 선물 등을 포장지로 완전히 싸다
③ 발생·출현	□ cheer up	~가 기운을 내다 ← 응원해서 없던 기운이 생겨나다
	□ pop up	불쑥 나타나다 ← 펑 터지며 마술처럼 갑자기 나타나다
	□ set up	~을 설치하다 ← 새로운 것을 설치해 두어 없던 것이 생겨나다
	□ show up	나타나다 ← 어떤 장소에 나타나 모습을 보여주다
	□ think up	~을 생각해 내다 ← 생각해서 결국 좋은 아이디어를 나타나게 하다
	□ turn up	나타나다 ← 없던 것이 눈 앞에 나타나도록 변하다
	□ up to	~에(게) 달려 있는 ← 누군가의 결정에 따라 생겨날 수 있는

11. DOWN

① 아래·하강
→ 무언가가 '아래'에 위치하거나 아래로 '하강'하는 것을 의미하며, '아래에, 아래로'라고 해석한다.
② 저하·감소
→ 수준이나 정도가 아래로 내려와 '저하'되거나 '감소'하는 것을 의미하며, '낮아져, 줄어들어'라고 해석한다.

① 아래·하강	□ blow down	(바람으로) ~을 쓰러뜨리다 ← 바람이 불어 무언가를 아래로 쓰러뜨리다
	□ calm down	흥분을 가라앉히다 ← 흥분된 마음을 아래로 가라앉히다
	□ come down	내려오다, 내리다 ← 아래로 내려오다
	□ cut down	~을 베다, ~을 쓰러뜨리다 ← 나무 등을 베서 아래로 쓰러뜨리다
	□ fall down	무너지다, 넘어지다 ← 아래로 떨어지며 넘어지고 무너지다
	□ go down	내려가다 ← 아래로 내려가다
	□ hand down	(후세에) ~을 물려주다 ← 전통이나 유산을 아래 세대로 건네주다
	□ lie down	눕다 ← 몸을 아래로 두고 눕다
	□ look down on	~를 낮춰 보다 ← 누군가에 대해 아래로 낮춰 보다
	□ put down	(들고 있던 것을) 내려 두다 ← 들고 있던 것을 아래에 두다
	□ slow down	(속도·진행을) 늦추다 ← 속도나 진행을 아래로 늦추다
	□ turn down	~을 낮추다 ← 소리나 온도 조절 버튼을 아래로 돌려서 낮추다
	□ upside down	(위아래가) 거꾸로 ← 위에 있어야 할 윗면이 아래로 가 있는
② 저하·감소	□ break down	(기계·차 등이) 고장 나다 ← 기계나 차가 고장이 나서 기능이 낮아지다
	□ cut down on	~을 절감하다 ← 수량이나 비용에 대해 낮아지도록 깎다
	□ feel down	(기분이) 우울하다 ← 행복감이 낮아져 우울한 기분이 들다

12. BY

≡

① 주변·옆
→ 어떤 것이 '주변'이나 '옆'에 위치하는 것을 의미하며, '~ 옆에, ~ 근처에'라고 해석한다.

② 매개·수단·원인
→ 옆에 있는 것이 행동의 '매개'나 '수단' 또는 상황의 '원인'이 되는 것을 의미하며, '~에 의해'라고 해석한다.

③ 시간
→ 정확한 시간보다는 대략적인 '시간'을 의미하며, '~쯤에는, ~까지는'이라고 해석한다.

① 주변·옆	□ by the way	그런데, 그나저나	← 말하던 길 옆으로 잠깐 새자면, 즉, 그런데
	□ drop by	잠깐 들르다	← 물방울이 떨어지듯 근처에 잠깐 떨어져 들르다
	□ go by	(시간이) 지나가다	← 진행되는 일 옆에 시간도 함께 지나가다
	□ live by	(신념·원칙) ~에 따라 살다	← 신념이나 원칙을 늘 옆에 두고 그것에 따라 살다
	□ one by one	한 개씩	← 한 개를 끝내고 옆에 있는 한 개를 시작하는
	□ pass by	(옆을) 지나가다	← 옆에 지나가다
	□ side by side	나란히	← 무언가의 옆면 옆에 또 옆면이 있게 나란히
	□ step by step	단계적으로	← 한 단계 끝내고 옆 단계를 시작하는
	□ stop by	(~에) 잠깐 들르다	← 방문을 위해 근처에 잠깐 멈춰서 들르다
② 매개·수단·원인	□ be impressed by	~에 감명받다	← 무언가에 의해 감명받다
	□ be moved by	~에 감명을 받다	← 무언가에 의해 마음이 움직이다
	□ be replaced by	~에 의해 대체되다	← 다른 것에 의해 대체되다
	□ be surprised by	~에 깜짝 놀라다	← 무언가에 의해 깜짝 놀라다
	□ be surrounded by	~에 둘러싸이다	← 무언가에 의해 둘러싸이다
	□ by accident	사고로, 뜻밖에	← 뜻밖의 사고에 의해
	□ by bus	버스로	← 버스로
	□ by chance	우연히	← 우연한 기회에 의해
	□ by hand	(사람의) 손으로	← 사람의 손에 의해
	□ by mistake	실수로	← 실수에 의해
	□ by nature	선천적으로, 본래	← 자연적으로 타고난 본성에 의해
	□ by no means	결코 ~이 아닌	← 어떤 수단으로도 결코 아닌
	□ by oneself	혼자서	← 다른 사람 없이 자기 자신 혼자에 의해
	□ lose by	(~점) 차이로 지다	← 어떤 점수 차에 의해 지다
③ 시간	□ by now	지금쯤은 (이미)	← 지금쯤에는
	□ by the time	~할 때쯤에는	← 무언가를 할 때쯤에는

13. AT ☰

① 시간·시점
→ 구체적인 '시간'이나 특정한 '시점'을 의미하며, '~에, ~ 때에'라고 해석한다.

② 대상
→ 행동이나 감정의 구체적인 '대상'을 의미하며, '~에, ~에 대해'라고 해석한다.

③ 위치·지점
→ 구체적인 '위치'나 한 '지점'에 있는 것을 의미하며, '~에, ~에서'라고 해석한다.

---

① 시간·시점

□ (all) at once   한꺼번에, 동시에 ← 전부 한 번에

□ at a time   한 번에 ← 한 번에

□ at any time   아무 때나 ← 어떤 때에든 아무 때나

□ at first   처음에는, 애초에 ← 처음에는

□ at last   결국 ← 마지막에는 결국

□ at that moment   (과거·미래의) 그때 ← 그때에

□ at that time   그때(는), 그 당시에(는) ← 그때에는

□ at the beginning   처음에(는) ← 어떤 일의 시작에는

□ at the moment   (바로) 지금 ← 바로 지금 이때에

□ at the same time   동시에, 함께 ← 같은 시간에 동시에

□ at times   가끔씩, 때로는 ← 가끔씩 몇 번에

② 대상

□ be angry at   ~에(게) 화가 나다 ← 어떤 대상에 대해 화가 나다

□ be good at   ~을 잘하다 ← 어떤 것에 솜씨가 좋다

□ laugh at   ~을 비웃다, ~를 놀리다 ← 어떤 대상에 대해 마구 웃으며 놀리다

□ look at   ~을 보다 ← 어떤 대상에 대해 눈을 두고 보다

□ stare at   ~를 쏘아보다 ← 누군가에 대해 노려보거나 응시하다

□ take a look (at)   (~을) 보다 ← 어떤 대상에 대해 보는 행동을 하다

③ 위치·지점

□ arrive at   ~에 도착하다 ← 특정 장소에 도착하다

□ at least   적어도, 최소한 ← 최소 시간이나 최소 수량에도

□ make oneself at home   편하게 쉬다 ← 스스로를 집에 있는 것처럼 편하게 만들다

14. ABOUT ≡

① 관계·대상
   → 행동이나 감정과 '관계'가 있는 '대상'을 의미하며, '~에 대해'라고 해석한다.
② 주변·근처
   → 관계가 있는 대상이 '주변'이나 '근처'에 위치하는 것을 의미하며, '~ 주변에, ~ 근처에'라고 해석한다.
③ 임박
   → 해야 할 일이 근처까지 다가와 '임박'해 있는 상태를 의미하며, '막 ~하려고 하는'이라고 해석한다.

① 관계·대상	☐ be anxious about	~에 대해 걱정하다 ← 무언가에 대해 걱정하다
	☐ be concerned about	~에 대해 걱정하다 ← 어떤 것에 대해 걱정하다
	☐ be curious about	~에 호기심이 많다 ← 어떤 것에 대해 호기심이 많다
	☐ be excited about	~에 신이 나다 ← 어떤 일에 대해 신이 나다
	☐ be sorry about	~에 대해 유감이다 ← 어떤 일에 대해 유감이다
	☐ be worried about	~에 대해 걱정하다 ← 어떤 것에 대해 걱정하다
	☐ care about	~에 대해 신경 쓰다 ← 무언가에 대해 신경 쓰다
	☐ complain about	~에 대해 불평하다 ← 어떤 문제에 대해 불평하다
	☐ dream about	~을 꿈꾸다 ← 바라는 것에 대해 꿈꾸다
	☐ hear about	~에 대해 듣다 ← 주제나 이야깃거리에 대해 듣다
	☐ How about -ing?	~하는 게 어때? ← ~하는 것에 대해 어떻게 생각해?
	☐ talk about	~에 대해 말하다 ← 어떤 주제나 이야깃거리에 대해 말하다
② 주변·근처	☐ bring about	~을 유발하다 ← 주변에 어떤 일이 생기도록 가져오다
③ 임박	☐ be about to + 동사원형	막 ~하려 하다 ← 막 ~하려고 하다

15. AWAY ≡

① 이탈·분리
→ 기준 지점에서 벗어나 멀리 '이탈'하여 '분리'된 상태를 의미하며, '저쪽으로, 멀리, 떨어져'라고 해석한다.

① 이탈·분리		
☐ far (away) from	~에서 멀리 (떨어져) 있는 ← 어떤 곳에서 멀리 떨어져 있는	
☐ give away	~을 나누어 주다 ← 무언가를 멀리 있는 사람들에게까지 주다	
☐ go away	(떠나) 가다 ← 멀리 떨어진 곳으로 가다	
☐ keep away from	~을 멀리하다 ← 무언가로부터 자신을 멀리 두다	
☐ pass away	돌아가시다, 사망하다 ← 이승을 지나서 멀리 저승으로 가다	
☐ put away	~을 치우다 ← 필요 없는 것을 멀리 두어 치우다	
☐ run away (from)	(~에서) 달아나다 ← 어딘가에서 멀리 달려가다	
☐ stay away from	~에서 떨어져 있다 ← 어떤 장소로부터 멀리에 머무르다	
☐ take away	~을 치우다 ← 어떤 것을 멀리 가져가서 치우다	
☐ throw away	~을 버리다 ← 쓰레기 등을 멀리 던져서 버리다	
☐ turn away	(반대로) 돌아서다 ← 몸이 반대편인 저쪽으로 돌다	
☐ wash away	(물 등으로) ~을 씻어내다 ← 물 등으로 무언가를 씻어서 멀리 보내다	

16. OVER

① 위·너머
→ 기준이 되는 위치 '위'나 '너머'로 이동한 것을 의미하며, '위에, 위로, 너머에, 너머로'라고 해석한다.
② 반복
→ 행동 등이 한 번을 넘어 여러 번 '반복'되는 것을 의미하며, '다시'라고 해석한다.
③ 전환
→ 대상의 한 측면을 너머 그 이상으로 뒤집어 '전환'하는 것을 의미하며, '뒤집어'라고 해석한다.

① 위·너머	☐ come over (to)	(~로) 건너오다 ← 자기 공간 너머의 다른 곳으로 건너오다
	☐ get over	~을 극복하다 ← 힘든 상황을 이겨내고 그 너머에 이르다
	☐ go over	~을 검토하다 ← 서류나 문서 위로 눈이 계속 지나가다
	☐ hand over	~을 넘겨주다 ← 저 너머에 있는 사람에게 무언가를 건네주다
	☐ pull over	(길 한 쪽에) 차를 세우다 ← 차의 브레이크를 위로 당겨 차를 세우다
	☐ trip over	~에 발이 걸려 넘어지다 ← 땅에 있는 것에 발이 걸려 위로 넘어지다
② 반복	☐ check over	~을 자세히 살피다 ← 점검하기 위해 다시 또 살피다
	☐ over and over	반복해서 ← 다시 그리고 다시
	☐ think over	~을 곰곰이 생각하다 ← 무언가를 여러 번 다시 생각하다
③ 전환	☐ turn over	~을 뒤집다 ← 무언가를 반대 면으로 돌려서 뒤집다

278 영어 실력을 높여주는 다양한 학습 자료 제공 HackersBook.com

17. AS

① 역할·자격·기능
 → 사람의 '역할'이나 '자격' 또는 사물의 '기능'을 의미하며, '~으로, ~으로서'라고 해석한다.
② 동등
 → 기준이 되는 것과 상태나 수량이 '동등'한 것을 의미하며, '~처럼, ~만큼, ~과 같은'이라고 해석한다.

① 역할·자격·기능	□ as a result	결과적으로 ← 결과로서
	□ be known as	~으로(서) 알려지다 ← 어떤 존재로서 알려지다
	□ be used as	~으로 사용되다 ← 어떤 목적이나 용도로 사용되다
	□ regard A as B	A를 B로 여기다 ← A를 B로 여기다
	□ work as	~으로(서) 일하다 ← 특정 직업 또는 직책으로서 일하다
② 동등	□ as usual	평소처럼 ← 평소처럼
	□ as well	~ 또한, ~도 ← 지금의 것도 기존의 것만큼 충분히
	□ such as	~과 같은 ← 뒤에 나열되는 그러한 것들과 같은

18. THROUGH

① 통과
 → 필요한 절차나 상황 등을 '통과'하는 것을 의미하며, '~을 통과해서, ~을 거쳐서'라고 해석한다.
② 전체·강조
 → 처음부터 끝까지 '전체'에 대한 '강조'를 의미하며, '두루, 내내, 끝까지'라고 해석한다.

① 통과	□ break through	~을 뚫고 나가다 ← 무언가를 부수고 그것을 통과해 나가다
	□ get through	(어려움·시련을) 극복하다 ← 어려움과 시련을 통과하게 되다
	□ go through	(행동·절차 등을) 거치다 ← 행동이나 절차를 거쳐 통과해서 가다
	□ pass through	~을 통과해서 지나가다 ← 무언가를 통과해서 지나가다
② 전체·강조	□ look through	~을 살펴보다 ← 무언가를 두루 살펴보다

해커스북 ^{중·고등}

www.HackersBook.com

간편 숙어 사전

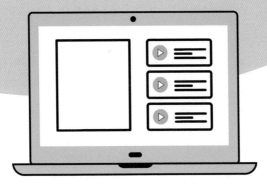

뜻이 생각나지 않는 숙어에 체크해보세요. 나만의 단어장 양식(온라인 제공)에 체크된 숙어들만 따로 모아서 복습하면 완벽하게 암기할 수 있어요.

A		
□ a couple of	두어 개의, 몇 개의	160
□ a cup of	(~의) 한 잔, (~의) 한 컵	16
□ a few + 복수명사	몇 개의, 약간의	139
□ a group of	(~의) 무리, (~의) 집단	226
□ a kind of	(~의) 한 종류, (~의) 일종	232
□ a little + 불가산명사	약간의, 조금의	139
□ a long time ago	오래전에, 먼 옛날에	238
□ a lot of	많은	22
□ a number of	(수가) 많은	13
□ a pair of	(~의) 한 쌍, (~의) 한 벌, (~의) 한 켤레	166
□ (a) part of	(~의) 한 부분, (~의) 일부	232
□ a piece of	(~의) 한 조각	238
□ A rather than B	(차라리) B보다는 A, B 대신에 A	34
□ a set of	(~의) 한 세트	244
□ a variety of	여러 가지(의), 갖가지(의)	244
□ above all	무엇보다도, 우선	241
□ according to	~에 따르면	28
□ account for	~을 차지하다, ~을 설명하다, ~을 해명하다	154
□ across from	~의 건너편에 (있는), ~의 맞은편에 (있는)	244
□ add up	(조금씩) 늘어나다, ~을 합계하다	238
□ after a while	얼마 후에, 잠시 후에	244
□ after all	결국에는, 어쨌든	241
□ agree with	~에(게) 동의하다	172
□ ahead of	~보다 앞선, ~의 앞에(서)	178
□ (all) at once	한꺼번에, 동시에, 갑자기, 즉시	226
□ all day (long)	하루 종일	184
□ all of	(~의) 전부	190
□ all of a sudden	갑자기, 별안간	196
□ all one's life	일생 동안, 평생	232

□ all right	(상태가) 괜찮은	202
□ all the time	항상, 늘	34
□ all the way	처음부터 끝까지, 줄곧	208
□ allow A to + 동사원형	A가 ~하게 해 주다	25
□ along with	~과 함께, ~에 덧붙여	214
□ and so on	(기타) 등등, ~등	226
□ apply for	~에 지원하다, ~을 신청하다	178
□ around the corner	(거리·시간적으로) 임박한, 가까운	160
□ around the world	전 세계에(서)	238
□ arrive at	~에 도착하다	40
□ as + 원급 + as	~만큼 -한[-하게], ~처럼 -한[-하게]	151
□ as + 원급 + as possible	가능한 한 ~한[~하게]	151
□ as a result	결과적으로, 그 결과	220
□ as far as	(거리·범위) ~만큼 멀리, ~까지, ~하는 한	247
□ as if + 주어 + 과거동사	마치 A가 ~한 것처럼	229
□ as long as	(시간) ~만큼 오래, ~하는 한	247
□ as usual	평소처럼, 늘 그렇듯이	232
□ as well	~ 또한, ~도	220
□ ask A a favor	A에게 부탁을 하다	148
□ ask A to + 동사원형	A에게 ~하라고 요청하다	25
□ ask for	~을 요청하다, ~을 요구하다	226
□ at + 시각	~에	175
□ at a time	한 번에, 동시에	157
□ at any time	아무 때나, 언제든	157
□ at first	처음에는, 애초에	220
□ at last	결국, 마침내	217
□ at least	적어도, 최소한	217
□ at that moment	(과거·미래의) 그때, 그 순간에	169
□ at that time	그때(는), 그 당시에(는)	46
□ at the beginning	처음에(는)	172

☐ cut in (line)	(줄에서) 새치기하다	184
☐ cut off	~을 잘라내다, ~을 차단하다	179
☐ cut out	~을 잘라내다	70

☐ day after day	매일, 날마다	64
☐ day and night	밤낮으로, 쉴 새 없이	142
☐ deal with	~을 처리하다, ~을 해결하다	173
☐ decide to + 동사원형	~하기로 결정하다, ~하기로 결심하다	91
☐ depend on	~에 달려 있다, ~에 의존하다	167
☐ devote oneself to	~에 헌신하다, ~에 전념하다	40
☐ die of	~으로 죽다, ~으로 돌아가시다	209
☐ do A a favor	A의 부탁을 들어주다, A에게 호의를 베풀다	161
☐ do a good job	잘 해내다	29
☐ do exercise	운동하다	35
☐ do harm	피해를 입히다, 손해를 끼치다	46
☐ do without	~ 없이 해내다, ~ 없이 지내다	52
☐ dream about	~을 꿈꾸다	46
☐ dress up	(옷을) 갖추어 입다	58
☐ drop by	잠깐 들르다, 불시에 찾아가다	59
☐ due to	~ 때문에, ~으로 인해	155

☐ each of	(~의) 각각, (~의) 각자	148
☐ each other	(대개 두 명이) 서로	11
☐ eat out	외식하다	143
☐ either A or B	A나 B (둘 중 하나)	187
☐ end in	~으로 끝나다	52
☐ end up -ing	결국 ~하게 되다	53
☐ enjoy -ing	~하는 것을 즐기다	115
☐ enjoy oneself	즐거운 시간을 보내다	64
☐ enough to + 동사원형	~할 정도로 (충분히) –하다	103

☐ escape from	~에서 탈출하다, ~에(게)서 달아나다	59
☐ even though	비록 ~일지라도, 비록 ~이지만	136
☐ ever since	~ 이후로 줄곧	65
☐ (every) now and then	가끔씩, 때때로	89
☐ every time	~할 때마다	70
☐ except for	~을 제외하고(는), ~ 외에는	47
☐ expect to + 동사원형	~할 것으로 예상하다	76

☐ face to face	(직접) 대면하여, 마주보고	83
☐ fail to + 동사원형	~하는 데 실패하다, ~하지 못하다	71
☐ fall apart	허물어지다, 무너지다	221
☐ fall asleep	잠들다	40
☐ fall behind	뒤떨어지다, 늦어지다	89
☐ fall down	무너지다, 넘어지다	35
☐ fall in love (with)	(~와) 사랑에 빠지다	136
☐ fall into	~으로 떨어지다, ~에 빠지다	77
☐ fall off	~에서 떨어지다	130
☐ far (away) from	~에서 멀리 (떨어져) 있는	100
☐ feed on	~을 먹고 살다	83
☐ feel better	기분이 나아지다, 몸을 회복하다	89
☐ feel down	(기분이) 우울하다, 낙담하다	94
☐ feel like -ing	~할 기분이 나다, ~하고 싶다	106
☐ fight for	~을 (얻기) 위해 싸우다	101
☐ figure out	~을 알아내다, ~을 이해하다	29
☐ fill A with B	A를 B로 (가득) 채우다	106
☐ fill in	(서류·양식을) 작성하다, (빈칸에) 기입하다	23
☐ fill out	(서류 등을) 작성하다, 기입하다	124
☐ find out	~을 찾아내다, ~을 알아내다	130

H

□ look into	(안을) 들여다 보다, ~을 자세히 보다, ~을 조사하다	137
□ look like	~처럼 생기다, ~처럼 보이다	30
□ look through	~을 살펴보다, ~을 훑어보다	131
□ look up	~을 올려다 보다, ~을 찾아보다, ~을 검색하다	97
□ look up to	~를 존경하다	97
□ lose by	(~점) 차이로 지다	60
□ lose one's temper	(화가 나서) 이성을 잃다, 성질을 부리다	30
□ lose one's way	길을 잃다, 방황하다	126

M		
□ major in	~을 전공하다	24
□ make A B	A에게 B를 만들어 주다	19
□ make a call	전화를 걸다	18
□ make a decision	결정을 내리다	36
□ make a difference	변화를 가져오다, 차이를 만들다	12
□ make a living	생활비를 벌다, 생계를 꾸리다	41
□ make a mistake	실수하다, 잘못 생각하다	138
□ make (a) noise	시끄럽게 하다, 소란을 피우다	18
□ make a plan	계획을 세우다	120
□ make a promise	약속하다	24
□ make a reservation	예약하다	114
□ make a speech	연설을 하다	48
□ make an appointment	예약을 하다	30
□ make an effort	노력하다, 애쓰다	108
□ make friends with	~와 친해지다, ~와 친구가 되다	36
□ make fun of	~를 놀리다, ~을 비웃다	18
□ make it (to)	(~에) 성공하다, (~에) 진출하다	42
□ make money	돈을 벌다, 재산을 모으다	102
□ make oneself at home	편하게 쉬다	96

□ make sense	의미가 통하다, 말이 되다, 이해하다	150
□ make sure (that)	~을 확실하게 하다, 반드시 ~하도록 하다	90
□ make up	~을 구성하다, ~을 차지하다, ~을 이루다, (이야기를) 지어내다	109
□ make up for	~을 보충하다, ~을 보상하다, ~을 만회하다	109
□ make up one's mind	결심하다, (마음의) 결정을 내리다	156
□ make use of	~을 이용하다, ~을 쓰다	12
□ manage to + 동사원형	간신히 ~하다	54
□ may as well + 동사원형	~하는 편이 좋(겠)다	79
□ mean to + 동사원형	~할 의도이다, ~할 셈이다	60
□ millions of	수백만의, 수많은	240
□ miss out	(기회·즐거움 등을) 놓치다	54
□ more than	~보다 많은, ~ 이상(의)	48
□ most of	~의 대부분	78
□ move around	(여기저기) 돌아다니다	78
□ move on	(새로운 일·주제로) 나아가다, (다음으로) 넘어가다	211
□ much + 비교급 + than	~보다 훨씬 더 ~한[~하게]	157
□ must have + 과거분사	~했음에 틀림없다	85

N		
□ need to + 동사원형	~할 필요가 있다, ~해야 한다	12
□ neither A nor B	A도 B도 아닌, A도 B도 없는	187
□ next to	(위치) ~ 옆에, (순서) ~ 다음에	174
□ no (other) 단수명사 ~ 비교급 + than ...	그 어떤 ~도 …보다 ~하지 않다, 가장 ~한 ~이다	169
□ no wonder (that)	(~한 것은) 놀랄 일이 아닌, (~한 것은) 당연한	72
□ none of	~ 중 아무(것)도 ~않는	84
□ not ~ any more [longer]	더 이상 ~ 않는, 더는 ~ 않는	241
□ not ~ at all	결코 ~ 않는, 전혀 ~ 않는	241
□ not A but B	A가 아니라 B	181

☐ slow down	(속도·진행을) 늦추다, 느려지다	72	☐ take a class	수업을 받다, 수강하다	235
☐ So + (조)동사 + 주어	~도 그렇다	235	☐ take A for granted	A를 당연하게 여기다	240
☐ so + 형용사/부사 + (that)	너무 –해서 ~하다	199	☐ take A home	A를 집으로 가져가다, A를 집으로 데려가다	36
☐ so far	지금까지	240	☐ take a look (at)	(~을) 보다	216
☐ so that	~하기 위해, ~하도록	199	☐ take a message	메시지를 받다	246
☐ some ~, the others -	(셋 이상에서) 몇 개는 ~, 그 외 나머지들은 –	133	☐ take a picture	사진을 찍다	204
☐ some of	~의 약간, ~의 몇몇, ~의 일부	210	☐ take a rest	휴식하다, 쉬다	85
			☐ take a shower	샤워를 하다	204
☐ sooner or later	조만간, 머지않아	132	☐ take A to B	A를 B로 데려가다, A를 B로 가져가다	246
☐ sound like	~처럼 들리다	234	☐ take a trip (to)	(~로) 여행을 가다	192
☐ spend A (on) -ing	~하는 데 A를 쓰다	216	☐ take a walk	산책하다	198
☐ stand for	~을 의미하다, ~을 상징하다	78	☐ take action	행동을 취하다, 조치를 취하다	96
☐ stand in line	줄을 서다, 줄 서서 기다리다	228	☐ take advantage of	~을 기회로 활용하다, ~을 이용하다	192
☐ stand up	(일어)서다, 서 있다	127	☐ take away	~을 치우다, ~을 빼앗다	144
☐ stand up for	~을 지지하다, ~을 옹호하다	127	☐ take back	~을 다시 가져가다, ~을 회수하다	235
☐ stare at	~를 쏘아보다, ~을 응시하다	78	☐ take care of	~를 돌보다, ~를 보살피다	210
☐ start to + 동사원형/-ing	~하기 시작하다	115	☐ take it easy	마음을 편히 갖다, 쉬엄쉬엄하다	96
☐ stay away from	~에서 떨어져 있다, ~을 멀리 하다	222	☐ take medicine	약을 먹다, 약을 복용하다	229
☐ stay up	(늦게까지) 안 자다, 깨어 있다	222	☐ take note of	~에 주목하다, ~에 주의하다	223
☐ step by step	단계적으로, 차근차근	216	☐ take notes	필기하다, 메모하다	223
☐ stick to	~에 붙다, (생각·지침 등을) 굳게 지키다	138	☐ take off	(옷·신발·모자 등을) 벗다, (비행기가) 이륙하다	90
☐ stop A from -ing	A가 ~하는 것을 막다, A가 ~하지 못하게 하다	229	☐ take one's order	~의 주문을 받다	240
☐ stop by	(~에) 잠깐 들르다	84	☐ take one's time	여유를 갖다, 천천히 하다	186
☐ stop -ing	~하는 것을 멈추다	229	☐ take out	(밖에) ~을 내놓다, (돈 등을) 인출하다	180
☐ succeed in	~에(서) 성공하다	84	☐ take part in	~에 참여하다, ~에 가담하다	91
☐ such as	(~과) 같은, 예를 들어	198	☐ take place	(행사가) 개최되다, (일이) 일어나다	102
☐ suffer from	~으로 고통받다, ~에 시달리다	210	☐ take responsibility for	~을 책임지다	216
T			☐ take turns	차례로 하다, 교대로 하다	150
☐ take a break	(잠시) 휴식을 취하다	73	☐ talk about	~에 대해 말하다	108
☐ take a bus	버스를 타다	228			

MEMO

MEMO

MEMO

중학 서술형이 쉬워지는 필수 숙어 총정리

해커스 보카

중학 숙어

초판 3쇄 발행 2024년 4월 8일

초판 1쇄 발행 2023년 1월 2일

지은이	해커스 어학연구소
펴낸곳	(주)해커스 어학연구소
펴낸이	해커스 어학연구소 출판팀

주소	서울특별시 서초구 강남대로61길 23 (주)해커스 어학연구소
고객센터	02-537-5000
교재 관련 문의	publishing@hackers.com
	해커스북 사이트(HackersBook.com) 고객센터 Q&A 게시판
동영상강의	star.Hackers.com

ISBN	978-89-6542-534-2 (53740)
Serial Number	01-03-01

한국 브랜드선호도 교육그룹 1위,
해커스북 HackersBook.com

해커스북 중·고등

- 교재 어휘를 언제 어디서나 들으면서 외우는 MP3
- 전략적인 숙어 암기를 돕는 Daily Test, 누적 테스트 및 나만의 단어장 양식
- 실제 기출 문장으로 영작을 연습할 수 있는 예문 영작테스트
- 단어 암기 훈련을 돕는 무료 보카 암기 트레이너